一生盛放 如莲花

林徽因传

豪华典藏版

孟斜阳 ◎ 著

文汇出版社

图书在版编目（CIP）数据

一生盛放如莲花 / 孟斜阳著. 一上海：文汇出版社，2013.5
ISBN 978-7-5496-0867-6

Ⅰ.①一… Ⅱ.①孟… Ⅲ.①林徽因（1904～1955）
—传记 Ⅳ.①K826.16

中国版本图书馆CIP数据核字（2013）第062462号

一生盛放如莲花

出 版 人 / 桂国强
作　　者 / 孟斜阳
责任编辑 / 戴　铮
特约编辑 / 庆　宇
封面装帧 / 姚姚工作室
出版发行 / 🆆文匯出版社
　　　　　上海市威海路755号
　　　　　（邮政编码200041）
经　　销 / 全国新华书店
印刷装订 / 北京凯达印务有限公司
版　　次 / 2013年5月第1版
印　　次 / 2013年5月第1次印刷
开　　本 / 710×1000　1/16
字　　数 / 235千字
印　　张 / 20

ISBN 978-7-5496-0867-6
定　价：39.80元

目 录

第二卷　玫瑰之殇：剑河康桥上的多情诗人

第三卷　白莲温婉：愿得一心人，白首不相离

第四卷　我心永恒：哲学家的柏拉图式爱情

第五卷 午后时光："太太客厅"里的美丽女主人

第六卷 生如夏花：只为你如花美眷，似水流年

"雪化后那片鹅黄，你像

新鲜初放芽的绿，你是

柔软喜悦，水光浮动着你梦期待中白莲"。

——林徽因

怀想那流年光影中的优雅与浪漫

序："永恒之女性，引领我们飞升"

歌德说："永恒之女性，引领我们飞升。"那是一个逝去的年代，亦是个白衣胜雪的年代。

——题记

岁月如流沙，缓缓地在指间流淌。

也许是某种时光的遥隔，也许是一种淡淡的怀旧，在我的印象中，民国岁月已经是一个逝去的年代，亦是个白衣胜雪的年代；是个天崩地裂、风云激荡的乱世，也是个思想活跃、个性鲜明、人物辈出的时代。正是从那个年代里，走出了风华绝代的林徽因，还有她美丽的人间四月天：

我说你是人间的四月天；

笑响点亮了四面风；轻灵

在春的光艳中交舞着变。

你是四月早天里的云烟，

黄昏吹着风的软，星子在

无意中闪，细雨点洒在花前。

那轻，那娉婷，你是，鲜妍

百花的冠冕你戴着，你是

天真，庄严，你是夜夜的月圆。

雪化后那片鹅黄，你像；新鲜

初放芽的绿，你是；柔嫩喜悦

水光浮动着你梦期待中白莲。

你是一树一树的花开，是燕

在梁间呢喃，——你是爱，是暖，

是希望，你是人间的四月天！

人间的四月天里，阳光灿烂，轻风和暖，玉兰绽放，柳树发芽。

"你是一树一树的花开，是燕，在梁间呢喃——你是爱，是暖，是希望，你是人间四月天！"这样轻快而有韵律的诗句，让人们的美好感情与春天的花、燕联袂起舞，让心灵顿时感到一种美好情感的充溢和温暖。

林徽因。这位有着卓越才情、学识，美丽典雅的女性，留给人们太多的纪念和回忆。在她身上，凝聚着常人难以企及的美丽与高贵。她冰清玉洁，风华绝代，她是无数男人之梦中女神！李敖曾说，用"沉鱼落雁，闭月羞花"来形容女性已经俗不可耐，他认为汉语里最好的词应是"风华绝代"。而这个名词用在林徽因的身上最为恰当不过。

梁实秋笔下称她为美貌顾顾，才情出众，号称 20 世纪中国最美的女人。同时也被胡适誉为中国一代才女。沈从文眼里的林徽因是"绝顶聪明的小姐"，晚一代的作家萧乾则称林徽因是"聪慧绝伦的艺术家"。美国好友费慰梅认为，林徽因"能够以其精致的洞察力为任何一门艺术留下自己的印痕"。后来成为梁思成第二任夫人的林洙也全无芥蒂赞美着林徽因："她是我一生中见过的最美丽最有气质的女人。风华绝代，才华过人。"

而环绕在林徽因身边的是上世纪在各自领域最杰出的三个男人，一个是建筑大师梁思成，一个是 20 世纪最有活力的诗人徐志摩，一个是一流哲学家，为她终身不娶的金岳霖。此外还有最真诚的朋友、"太太客厅"里的常客：学贯中西的大学者胡适、费正清、大作家沈从文，……

她的智慧才情和风度气质，在那时文人墨客心向往之的"太太客厅"里得到了完美展现。20 世纪 30 年代，林徽因住在北京东城总布胡同时，一批文坛名流常聚集在这里，一杯清茶，些许点心，谈文学，说艺术，天南地北，古今中外。林徽因是客厅里的"女主角"，而"男配角"都是顶尖高手：有政治学家张奚若、经济学家陈岱孙、逻辑学家金岳霖、物理学家周培源，更有名满天下的胡适、沈从文、叶公超、朱光潜等等。

有人说：这样一个知识界的精英群体，一群学贯中西的风流人物。他们发乎情、循乎理、止乎礼，相知、相爱、相敬，既有徐志摩"甘冒世之韪，竭全力以斗"的痴狂爱慕，又有金岳霖因爱一人而终生不娶的情感传奇。从某种意义上讲，林徽因是一种近乎于神性的"美"。这种美无法用语言来形容，如果硬要诉诸文字，林徽因好比但丁《神曲》中的贝雅特丽齐，引领人类心灵与精神向上的女性。这个"女性"已超越作为形体存在的"女人"，而成为一种牵引心灵的"女神"。这种说法对于徐志摩这样领一时风骚的人物来说，丝毫不存在夸张之处。

2000年，由中国内地与中国台湾合资拍摄的电视剧《人间四月天》首先在大陆播出，由黄磊、周迅、伊能静分别扮演徐志摩、林徽因和陆小曼迅速走红，在两岸掀起一阵"徐志摩、林徽因热"。自那时候起，关于林徽因的各种传记、文集就先后出版，持续掀起各种热潮。人们争读那些发源于半个世纪前的美文丽句，触摸着风云际会大时代里，那些受过西方文化洗礼、个性解放并具有文艺复兴色彩的人物的思想、心灵和人格。

然而，真实的林徽因到底是什么样子的呢？她到底是怎样一个女人呵？

现实生活中的林徽因心性自尊，人格高贵，性情浪漫，气质优雅，有东方的典雅之美，又不乏西式的浪漫风情。既具有现代独立人格与个性，同时又不失传统美德及本质的温婉美好。她是太太客厅的中心人物，被爱慕者如众星捧月般包围；同时她又不顾重病、不惮艰辛，在穷乡僻壤、荒寺古庙中与梁思成考察古建筑。她既耐得住学术的清冷和寂寞，又受得了生活的艰辛和贫困。

美国电影《飘》中的斯佳丽，在美国南北战争中经历了辛酸流离的乱世人生，被称作"乱世佳人"。中国的宋代女词人李清照也是一位在兵荒马乱中随宋室南渡、尝尽颠沛流离滋味的乱世佳人。林徽因也不幸遇到了这样苦难的战乱岁月，身心遭受极大摧残。在上世纪三、四十年代的抗战期间，她曾困居四川李庄，亲自提瓶子上街头打油买醋；曾卧病在床，仍然坚持读书著述。她在乱世里始终从容安恬，在颠簸流离中保持着优雅与高贵。也是一位中国抗战时期的乱世佳人。

早年以名门出身大家闺秀，被众人称羡，青年时旅英留美、深得东西方艺术真谛，英文好得令费慰梅赞叹；中年时战乱方殷、疾病缠身仍执意要留在祖国。这就是林徽因，她是慈爱的母亲、贤淑的妻子、体贴的朋友，浪漫的情人；她更是灵秀的诗人，睿智的学者，坚定的爱国者。她一生向往爱情的真实，珍视人格的高贵，追求精神的自由。

歌德曾经在《浮士德》里那般赞叹："永恒之女性，引领我们飞升。"

这种女性的人格气质恬美悠远如莲花，幽香袅娜而不浮华，柔美而不妖媚，触摸不到彼此，传递过来的声息却无处不在。岁月的轮回里，她以最美的姿式站立成一道最美的风景，等待天边最后一抹夕阳，把那抹眷恋刻在最深的红尘里。

这里，我想留住的就是这样的时光里那些疼痛和忧伤。让我们的记忆到时光深处寻梦，撑一支长蒿，向青草更青处漫溯——

一　生　盛　放　如　莲　花

如果我的心是一朵莲花，
正中擎出一枝点亮的蜡，
荧荧虽则单是那剪光，
我也要它骄傲的捧出辉煌。

单是那光一闪花一朵——
像一叶轻舸驶出了江河——
宛转它飘随命运的波涌
等候那阵阵风向远处推送。

一 生 盛 放 如 莲 花

第一卷

青葱岁月：伦敦城里的中国少女

对一个绝妙的女子来说，生命
只是一场绚烂的花开。在月白
风清之际，让心中静静绽放一
枝白莲。那红尘摆渡人已经遥
遥渡河而来。
彼岸，烟波流转，繁华三千，
可有人在痴痴等候她的到来？

素年如锦，时光清浅。一颗种子总是在生命最初的萌芽时，感受风的方向和信息。

1904 年 6 月 10 日，正是一个莲花含苞初绽的日子。双子座女子林徽因出生于山温水软的江南古城杭州陆官巷的祖父寓所。这是一座杭州宋代旧城里的一座青砖大宅，不远处即是西湖。夏日里的深深庭院，花木繁荫，光影浮动，细碎得一地斑驳。

林徽因的出生给书香门第的林氏家族带来了喜庆和欢乐。雕花木窗里，人们笑意融融。祖父林孝恂熟读诗书，看着长孙女儿乖巧可爱的笑脸儿，悠悠吟出诗经《大雅·思齐》里的句子：

"思齐大任，文王之母。

思媚周姜，京室之妇。

大姒嗣徽音，则百斯男。"

大意是赞美文王祖母周姜、文王生母大任和文王妻子大姒。"大姒嗣徽音，则百斯男。"是说周文王之妃继承了端庄与美好的容止德行，泽被后世，儿孙满堂。

"徽音"，意为美好的品行和声誉。于是乎，长辈们为她起名为"徽音"，对这个女孩子寄予了厚望。希望她能继承上古美德，成为一代贤淑美好的女子。事实上，一个人的名字，一个家族原初的人文底蕴，或许真能潜在地影响一个生命、一颗心灵的成长。从一开始就在胚芽中注入了某种厚重绵长的文化基因，某种斯文典雅的气息。

当人们"徽音徽音"叫着这个女孩子的时候，她内心的莲花已经开始了苏醒。她一生所珍视的美好与圣洁已经萌动。她会用一生的时光轻轻擦亮这个美好的名字，让它如白莲一般绽放。

后来，这个冰雪般聪明的美妙女子走上了文坛，笔花四照，惊艳一时。为免于和当时男性作者林微音相混，她把名字改为林徽因。有因就会有果。她轻轻一笑，说不是怕人们误会她的作品成了别人的作品，而是怕把别人的作品误会成她的。

如此爱惜雪白的羽毛，如此珍视文字的品格与质地，这正是林徽因之所以为林徽因的由来。时光悄悄地照在她的心扉上，能看见微尘动起。改名为"徽因"的她，静静地坐在阳光里，期待着一个浪漫的约会。等待的时候，时光的指尖抚过她的眉宇，有一种薄凉的清荷味道。

这个时候，民国时代的百媚千红里，隐隐开始闪动着名门闺秀林徽因的身影。杭州城里西子湖畔长大的林徽因，就象那南宋女子李清照、就象那红楼姑苏女子林黛玉，注定让自己一生在风中走过的身影和表情成为一段传奇。

那一切关于岁月、关于美丽的梦想，慢慢拉开了她的春闱。在那个未来的故事里，她将是一个光彩照人的美丽女主角。

深埋在血脉里的缘是绵长邈远的。

林徽因有一个不同俗流的祖父，更有一个不同凡响的父亲。她的祖籍是福建闽县，也就是今天的福州。福建闽侯林氏是当地的名门望族，在当地具有"但开风气"、先知先行的家风。

林孝恂，字伯颖，相貌温蔼清癯，目光睿智安详，远远端详有几分书卷气息。他年轻时曾经学习技艺，谙熟医术，做过富户人家的教书先生。后来他应试科举，为清光绪十五年进士，与康有为同科，授翰林院编修。后外放历任浙江海宁、石门、仁和各知县。在任期间，他创办了求是书院、养正书塾、蚕桑职业学堂，培养造就人才。

在杭州当官时，他曾手书对联："书幌露寒青简湿，墨花润香紫毫圆。"帘轻卷，露微寒，翰墨香，颇有流连于书香翰墨的儒雅之气。

按照传统的观念，一个读书人能够应试中举已经算是能够光宗耀祖，足慰平生了。但林孝恂身处清末社会动荡、思想活跃的时代，完全没有旧式官僚和

文人的陈腐气。在很多事情方面显露出务实和开明的胸襟。他曾出资送蒋百里等青年才俊赴日本留学。蒋百里后来成为民国时期著名的军事教育家。辛亥革命以后，那些前清官吏纷纷回老家广置田产，以保晚年衣食。林孝恂却举家前往新开埠的上海，在那样一个八面来风、独领新潮的地方投资参股于商务印书馆，参与现代出版事业。这对于一个前清官僚而言，可谓是不同俗流，独具眼光。

在子女教育方面，林孝恂思想极为开明。他主张不分性别，女儿照样随男孩子一起启蒙，成人后个个知书达礼。家塾课程更是国学、新学并重，既请国学大家林琴南讲四书五经，也延聘新派名流林白水教授天文地理等时兴西学，甚至还招聘加拿大籍华惠德、日籍嵯峨峙等来家教习英文、日文。

在那个新旧交替、风云激荡的年代，祖父林孝恂的这份见识与开明殊为难得，影响深远。而祖母游氏也是位端庄贤淑的名门之女，喜好文墨，工于书法。据林家人说，林徽因身上更多遗传了祖父母的遗传特点。她那明亮有神的双眸极像祖父，而漂亮生动的脸蛋则像祖母。祖母也是福州人，眉毛细而弯，非常漂亮。所以，祖母游氏极为溺爱这个孙女，竟不要林徽因母亲照料。而是成天让她和自己生活在一起，膝下承欢，尽享天伦。

儿时的林徽因聪明伶俐、活泼可爱，深受家人喜爱。平时，祖父林孝恂还经常给孙女讲些外面世界发生的故事，念一些浅显有趣的诗文，带着她做游戏。也许在幼小的林徽因眼里，这个清癯和善的老头是那样可亲可爱。

在那个深深宅院里，也许黄昏来临的一刻最是令人惆怅。夕阳拉长了光线，穿过院墙和栅栏斑驳的花木碎影，在这个老人捧着茶盏的指尖滑落一丝暖意。而幼小的林徽因会发现，庭院里的花瓣飘然落入了风里，旋转，扬起，又悄然落去。春天似乎是真的离去了。燕子呢喃一声。从屋檐上掠过，飞来。这翩翩归来的燕子还是去年在此安巢的旧相识吗？

最初的怅惘也许会轻盈地潜入她的稚嫩心底，她敏感得象屋檐前那阳光下似落未落的一滴水珠。

长大后的林徽音着一袭素衣白裙，站在静静的流年里，如一朵临风绽放的雪白莲花。那时，她偶而会记起曾经年少时杭州城里林家大宅院里的花叶繁荫，日影浮动，恍惚而细碎得一地斑驳。她走进了小桥流水人家和飘着青梅气息的庭院。那些童年往事的旧时光里，月亮缺了又圆，淡了又浓。回首间，总有一段回忆会在梦想中搁浅，总有一段情感在午夜梦回时暗送馨香。那些思念会很短，短到一个擦肩，一次回眸；那种相思又会很长，长到青丝覆雪，天荒地老。

后来她曾经回忆大宅院里的午后阳光："我望着太阳那湛明的体质，像要辨别它那交织绚烂的色泽，追逐它那不着痕迹的流动。看它洁净地映到书桌上时，我感到桌面上平铺着一种恬静，一种精神上的豪兴，情趣上的闲逸，即或所谓'窗明几净'，那里默守着神秘的期待，漾开诗的气氛。那种静，在静里似可听到那一处琤琮的泉流，和着仿佛是断续的琴声，低诉着一个幽独者自娱的音调。看到这同一片阳光射到地上时，我感到地面上花影浮动，暗香吹拂左右，人随着晌午的光霭花气在变幻，那种动，柔谐婉转有如无声音乐，令人悠然轻快，

不自觉地脱落伤愁。至多，在舒扬理智的客观里使我偶一回头，看看过去幼年记忆步履所留的残迹，有点儿惋惜时间；微微怪时间不能保存情绪，保存那一切情绪所曾流连的境界。"

院子里，人们看她的目光都是和善安详的、令人愉快的。祖父母视为掌上明珠般的慈爱，给了幼年林徽因最初的遥远而朦胧的美好回忆。这个世界最初向她敞开的，是一个人情味浓浓的温暖怀抱。也许小小的林徽因睡梦中会从嘴角露出一个微微的笑意。

人生最初的美丽总是这样像梦一般好。听得到花开的声音，心底温暖无限。

有人说：女儿是父亲前世的情人。这话也许在某种程度上可能是有道理的。

如果说，祖父母开明家风的影响是潜在的，那么父亲林长民则是主导了林徽因一生个性形成和人生走向的人。林长民的才学、气度、阅历和性格深刻地影响了女儿林徽因的一生。而林徽因是那么灵透温柔的女子，对父亲的依恋与亲密更是深入骨髓。

林徽因的父亲林长民，字宗孟，早年习科举业，曾考中秀才。后来两度赴东洋留学，毕业于日本早稻田大学，通外语，擅诗文，工书法。吐纳中西文化之精华的他，胸怀变革中国社会政治之志，思想开放，社交活跃，与当时中日政界名流都有广泛交往。从日本回国后，他就投入当时正值高潮的"君主制宪"

运动。宣统元年，他由聚在上海的各省咨议局公推为书记，组织请愿同志会要求清庭召开国会；民国元年参与议订临时约法，先后担任临时参议院秘书长、众议院秘书长。后来，他还担任过北洋政府司法总长。

那真是一个大潮起落、淘尽英雄的时代。从来只站在时代潮头的林长民，成为清末民初政坛上的风云人物，史册里注定会有他浮雕般的身影。

林长民从政时，带着热血奔涌的激情，绝非那种只贪恋权位的政客。"巴黎和会"之际，正在巴黎的梁启超用电报快速告知林长民，日本将继德国仍享有霸占青岛的特权。林长民连夜撰写短文《外交警报敬告国民》，发表于五月二日北京《晨报》。文中披露了这一消息警醒世人，疾呼"胶州亡矣！山东亡矣！国不国矣！"最后号召："此皆我国民所不能承认者也。国亡无日，愿合我四万万众誓死图之！"

这篇短文骤然点燃全国同胞爱国烈火，第三天爆发了划时代的"五四运动"。当月二十五日，林长民向大总统徐世昌辞去刚担任五个月的外交委员会委员一职。

林长民性情之外兼具才气，有种独到的文艺气质和名士风度。据时人描述，林长民"躯干短小，而英发之慨呈于眉宇。貌癯而气腴，美髯飘动，益形其精神之健旺，言语则简括有力"。

章士钊也很佩服林长民，说林长民"长处在善于了解，万物万事，一落此君之眼，无不涣然。总而言之，人生之秘，吾阅人多矣，惟宗孟参得最透，故凡与宗孟计事，决不至搔不着痒，言情，尤无曲不到，真安琪儿也。"

正是这样一位思想开放、才华超群、风流儒雅的父亲，赋予了林徽因人生心路上最纯正而强大的正能量。

林长民曾先后三次结婚，都是旧时光中大宅门里的爱情。

在杭州读书时曾娶妻叶氏。因系指腹为婚，两人缺少感情。叶氏早逝，没有生育。由家庭包办，林长民娶了第二个妻子，也就是林徽因的母亲何雪媛。后来，他又娶了一房小妾程桂林，称作"二娘"。

1909 年，林徽因五岁，林家迁居杭州蔡宫巷一座大宅院内。这里黛瓦粉墙，青苔遍生。院里种植着枇杷、海棠，自有一种古朴幽谧的氛围。在这里，大姑母林泽民成为林徽因的启蒙老师。

林泽民是清朝末年的大家闺秀，自小接受私塾教育，诗词歌赋、琴棋书画样样精通。这位知书达礼的慈爱姑母出嫁后依然常年住在娘家，教会了林徽因和姐妹们读书识字。幼年林徽因和一群表姐妹住在杭州祖父的大院里，一起读书玩耍。几个活泼的女孩子在一起叽叫喳喳，嬉戏玩闹。慈爱的大姑母从不轻易干涉她们。

林徽因六岁时出了水痘。按照老家的说法，这叫出"水珠"。这个时候，她不能到前院去读书了。大姑母也不允许孩子们到后院落来，因为水痘会传染。林徽因心里期盼着有人能来后院，不是她感觉到孤独，而是希望有更多的人知道她自己出"水珠"。她竟然不像许多孩子那样感到难忍的病痛，也不觉得这是病。她喜欢水珠这个名字，所以因为这个病多了几分骄傲和神秘。后来徽因回忆说："当时我很喜欢那美丽的名字，忘却它是一种病，因而也觉到一种神秘的骄傲。只要人过我窗口问问出'水珠'么？我就感到一种荣耀。"

有人说，这是林徽因对"水珠"这种称呼有某种诗意的敏感，是一种文学天分和艺术气质的显现。其实也可以说，六岁的林徽因如此快意，也许是因为生病受到了大人们格外的关注和疼爱，心灵感到了几分愉快。

对一个小小的女孩子来说，只有家世流传的书香，才会让如花容颜的美丽变为绝代风华。也许是受书香门第的家风熏染，旧式家族中算是庶出的大小姐林徽因读书很有天分。一起读书的几个姐妹中，林徽因算是最聪明的一个。她年龄最小，最贪玩，上课时候也不注意听讲，却总能过目不忘，出口成章，是背书背得最好的。唐诗、宋词教她一两遍就能很熟练地背下来。平时说起话来也是口齿伶俐，滔滔不绝。就是在这个时候，林徽因的天赋灵性引起了族中长辈们的关注和喜爱。大姑母经常夸奖她聪明灵秀，也格外宠爱她。直到林徽因长大后，姑母还操心她的情事和婚姻。林徽因同父异母的弟弟林暄曾回忆道："林徽音生长在这个书香家庭，受到严格的教育。父亲不在时，由大姑母督促。大姑母比父亲大三岁，为人忠厚和蔼，对我们姊兄弟亲胜生母。"

林徽因八岁时，父亲林长民居住北京，而全家则由杭州移居上海。随家人移居上海后，他们住在虹口区金益里。徽因和四位表姐妹一起就读于附近的爱国小学，读二年级。由于父亲时常在外奔波，林徽因常留在祖父身边。她是个聪颖乖巧的女孩子，在孩子们中是最让人放心的一个。六岁多就开始为祖父代笔，给父亲写家信。父亲的来往信函全由她承转，成为祖父与父亲之间的通信

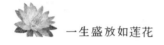
员。母亲、二娘的信全由她代笔，父亲的来信也总是写给她。

"徽儿：

知悉得汝两信，我心甚喜。儿读书进益，又驯良，知道理，我尤爱汝。闻娘娘往嘉兴，现已归否？趾趾闻甚可爱，尚有闹癖（脾）气否？望告我。祖父日来安好否？汝要好好讨老人欢喜。兹寄甜真酥糕一筒赏汝。我本期不及作长书，汝可禀告祖父母，我都安好。

父长民三月廿日"

"徽儿：

本日寄一书当已到。我终日在家理医药，亦藉此偷闲也。天下事，玄黄未定，我又何去何从？念汝读书正是及时。蹉跎惧了，亦爹爹之过。二娘病好，我当到津一作计。春深风候正暖，庭花丁香开过，牡丹本亦有两三蓓向人作态，惜儿未来耳。葛雷武女儿前在六国饭店与汝见后时时念汝，昨归国我饯其父母，对我依依，为汝留，并以相告家事。儿当学理，勿尽作孩子气，千万。

桂室老人五月五日"

林长民在书信中的口吻，俨然已将女儿当成了知音，可以娓娓深谈，一吐心曲。

眼见得这小小女孩儿写起信来言辞生动、应答得体，让父亲林长民格外惊异，心中不由暗喜，认为她颇有天才。平时非常疼爱这个女儿，昵称她"徽徽"。经常从外地寄些吃的和玩的东西给这个宝贝女儿。遇到一些事情时还会与她商量。父女关系格外亲密。就连二娘也承认，林徽因是父亲最喜欢、最疼爱的孩子。

有道是："小荷才露尖尖角。"闲时的小徽因可以握一卷诗书，秋来惜花，冬来看雪。那遥远的风从远古吹来，倾诉凄艳的传说。她于文字间细品那些唐风宋雨，燕瘦环肥，梅花三弄，落英满地。小小心儿，细挽住那时光深处的一缕诗心琴韵。

02 | 早熟

　　世间的女孩子原本都是水做的骨肉，秉天地之灵气，得日月之精华。自是深得百宠千娇。而童年时的林徽因，给人们最深的印象却是她的早熟。女孩子的早熟自然是有天赋的冰雪灵性与慧根，但更是来自家庭的熏染、来自对世事人情的体察。

　　林徽因的早熟最初便来自于母亲。林徽因的母亲何雪媛出身自一个商人家庭，既不善女红和持家，也没有接受过良好的文化教育。在林家书香门第的开明风雅氛围里，她的思想观念在很多方面显得陈旧落后。更重要的是她生育了一子两女。儿子和二女儿夭折，只有大女儿林徽因活了下来。在有着传统重男轻女、多子多福观念的婆家，她自然不为公婆和丈夫所喜。

　　后来，林长民又从福建娶了第三个妻子程桂林，林徽因叫她"二娘"。她也没有什么文化，却性情乖巧，善解人意，并接连为林家生了四个儿子和一个女儿。林长民对这位新娶的小妾极为宠爱，甚至为她取号为"桂林一枝室主人"。于是，二娘程桂林一家被安排到宽敞明亮的前院。父亲一直同他们生活在一起。

林徽因和母亲被安排到相对窄小而又阴暗的后面小院子里，受到了冷落。此后，林徽因的母亲何雪媛一直过着孤苦的分居生活。她经常背着人流眼泪，脾气也变得越来越坏。她对二娘程桂林充满嫉恨，数落前院也抱怨丈夫的薄情冷漠，一边哭，一边感叹自己命苦，哭那死掉的儿子女儿。林徽因只要去前院和兄弟姐妹们一块玩过，回来后就会被母亲哭骂数落一顿。这样的母亲，常常让人想起张爱玲小说《金锁记》里的曹七巧，狭隘而乖戾。

旧时光里，大宅门里那些妻妾成群的婚姻，从来不缺乏宫斗剧般的美人心计和宠辱悲情。幼年林徽因随母亲住在冷清的后院，常常感到悲伤无奈和困惑。小小年纪，内心却承受着与年龄不相称的重负。遭遗弃的母亲给她心理蒙上巨大的阴影。原本天真无邪的眼眸中，竟似藏有深湖般的忧郁阴霾。这段童年时光也成为记忆深井中斑驳迷离的光影。

事实上，父亲林长民十分疼爱林徽因，感到这个女儿特别贴心。林家人都说，徽因是父亲最喜爱的孩子。一边是父亲，一边是母亲，林徽因夹在中间，心情十分挣扎和纠结。她是一个善解人意的孩子，也是一个孝顺乖巧的的孩子。她一面努力做一个父亲的好女儿，弟妹们的好姐姐；另一面也同情理解自己的生身母亲，用尽心思让母亲高兴起来。

母亲何雪媛对林徽因的影响也是很大的。母亲是个不能忍耐、藏不住话的

急脾气，这也影响到了林徽因的性格。林徽因的个性常常也是心直口快，有话就说。而母亲的孤苦身世也促使林徽因很早懂得了生活的复杂与矛盾，感受到了人生苦涩的一面。同时也深刻地影响了她对婚姻、人生和社会的看法，促成了她个性心理的早熟，十分敏感、独立、要强。

这一点，常常让人想起了英国小说《简爱》里女主人公简的早年遭遇。后来儿子梁从诫曾经这么说他的母亲林徽因："她爱父亲，却恨他对自己母亲的无情；她爱自己的母亲，却又恨她不争气；她以长姊真挚的感情，爱着几个异母的弟妹，然而，那个半封建家庭中扭曲了的人际关系却在精神上深深地伤害过她。"

林徽因显得很是懂事、早熟，还因为她很早就开始帮着大人打理家务。

祖父林孝恂去世后，林家搬到了天津英租界。父亲林长民在北京忙于政事。那时同母妹妹麟趾刚病逝，二娘生的几个弟妹都还小，大的刚刚两岁，小的不足半岁，经常生病，二娘程桂林也患肋膜炎。天津家里上下里外都需要林徽因打点照料。她几乎成了天津家里的主心骨。伺候两位母亲，照应几个弟妹，乃至搬家打点行李，全部由这个十二三岁的女孩承担起来了。

在给父亲的一封信上，她曾这么批注："二娘病不居医院，爹爹在京不放心，嘱吾日以快信报病情。时天苦热，桓病新愈，燕玉及恒则啼哭无常。尝至夜阑，犹不得睡。一夜月明，桓哭久，吾不忍听，起抱之，徘徊廊外一时许，桓始熟睡。乳媪粗心，任病孩久哭，思之可恨。"

文字间依稀可见林徽因稚嫩而忙碌的身影。小弟弟夜半啼哭，她不忍听，起身抱着小弟弟在廊外徘徊许久。她还对奶娘半夜听任生病的弟弟啼哭不管，颇有不满。可见，就连半夜哄孩子的事，也得由这位大小姐亲自动手。

难得的是，尽管她的生母受到父亲的冷落。这个小小女孩子却没有因此怨恨父亲和二娘，对二娘所生的弟弟妹妹们也表现出一个做姐姐的懂事、体贴和爱。一个人如果把心打开了，世界就会更明亮一些。心里如果装满了阳光，善待这个世界以及你周边的人和生活，再深的阴霾也会散去，再冷的坚冰也会融化。

这个时候的林徽因亭亭玉立，柔美清秀，已经是一个聪慧过人、有主见、能帮助料理家务的孩子了。林徽因父亲是林家长子，林徽因又是长孙女，是这个大家族里的第一个孩子。林家人几乎把她当成了一个懂事而能干的成人，她因此而失去了自己的童年。可以看出，也正是早年在大家庭中替大人们打理家务，甚至成为主要角色的经历，使她受到了关注和倚重，成为人们心中的宠儿。她那庶出的大小姐身份，她的早熟和能干，她身后那不讨人喜欢的母亲，常常让人想起《红楼梦》里的贾探春。

在《红楼梦》里，庶出的贾探春也是才华出众，是海棠诗社的发起者，别号"蕉下客"，为人精明能干。她的母亲赵姨娘却是人人不喜的角色。除了王熙凤外，贾探春是贾府众姐妹中唯一展现"金钗治事"长才的难得角色。金陵十二钗判词中，她最后是远嫁他方。同贾探春相比，林徽因的处境和婚姻结局

要好得多。毕竟时代有了根本的不同。

一九一六年，林长民在北洋政府任职。十二岁的林徽因随全家从上海迁至北京。

从小桥流水、杨柳明月的江南走来的女孩儿，第一次来到这座传说中的皇城。辉煌大气的紫禁城，高大雄浑的古城墙，自成方圆的胡同民居，各种各样的民俗和小吃，让林徽因目不暇接，一下子爱上这个兼具王者气度与平民风格的城市。她当然不会想到，自己未来有一天会为保护这些美好的城市景观而奔走呼告，最后抱恨终天。

不过，这个时候的林徽因还只是个灵慧秀气的小女孩，一双亮晶晶的大眼睛热烈地注视着这个古老的王朝故都，一下子就爱上了这个城市。然后，她和四位表姐妹一同进了英国教会办的培华女子中学读书。这所贵族学校里的教师全部为外籍教师，全部用英文授课，教风严谨得法。经过这所学校培养出的林家姐妹们谈吐文雅，举止得体。原本聪慧的林徽因受到了良好教育，尤其是在这里学成了一口流利地道的英语。

这个时候的林徽因还对家中那些字画古物感起了兴趣。此时父亲已远游日本，她便翻出家藏的字画文物。一件件过目分类，编成收藏目录。父亲回来后，她兴致勃勃地拿给父亲看，满怀期望得到夸奖。当然，父亲回来看了不觉失笑，觉其幼稚不适用。小小的林徽因为此难过了好几天，于是在父亲家信上注道："徽自信能担任编字画目录，及爹爹归取阅，以为不适用，颇暗惭。"这一个小小细节表明，十二岁的林徽因很乐于在父亲面前表现自己的才能，也很在意父亲对自己的评价。

林徽因曾经说父亲是她唯一的知己，林长民同样也说女儿是他的知己。林长民还说，"做一个有天才的女儿的父亲，不是容易享的福"。血浓于水的亲情是一个人心灵与情感的维他命。而此后，林徽因对父亲的依恋、对亲情的看重，也几乎保持了一生。

培华女中的校服十分典雅新潮，林徽因等姐妹们穿上后显得亭亭玉立，新潮中又有几分端庄。星期天上街常有轻薄男子尾随而来，于是不得不叫来身材高大的表兄弟充当保镖。在她们中，林徽因是最小的妹妹，却非常活泼。每当她绘声绘色地讲起学校里的趣事，常常让姐妹们笑成一团。笑声中的林徽因象个快乐的小天使，裙袂飞舞，秀发飘扬。

那个时候，悠长寂寥的雨巷里，路人们也许常常看见一个少女长发里的清丽眉眼与窈窕腰身。在某个午后斜阳里，一身学生装的她被阳光浮雕出清晰的婀娜侧影，巧笑嫣然。桃花和柳絮那一刻在翻飞，让人们想起那许许多多多的前尘旧事。

有时，人们又看到那个窈窕的清丽背影，仿佛结着丁香般愁怨在街巷中慢慢走过。风儿吹得她一头秀发飘散如瀑。只有小表姐语儿知道，徽因其实并不快乐。每次回到家，她都会感觉非常压抑，只是因为她的母亲。林徽因的孝顺，使她不会象贾探春那样冷漠地对待生身母亲。但观念陈腐、性格乖张的母亲却

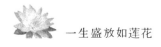

成为她内心永远难释的一个结，成为她精神上的一处隐痛。

多年以后，林徽因发表了一篇小说《绣绣》。小说写了一个令人叹息的故事：女孩绣绣漂亮乖巧，目光清澈，却生活在一个不幸的家庭。母亲没有文化亦无见识，懦弱狭隘。父亲便娶了新姨娘，生了很多小孩。绣绣的童年没有温暖亲情，孤独而忧伤，每天都在父母的抱怨与争吵中度日、挣扎，在无休止的家庭战争间生存。最后生了病，在家人冷漠中死去。虽然这篇小说是虚构的，但它深藏着林徽因童年记忆中的伤痛。她曾说："早年的家庭战争已使我受到了永久的创伤。"可见，这"创伤"对她来说是刻骨铭心的，甚至影响了她的一生。在《致费慰梅信》中，林徽因评价自己的母亲："我自己的母亲碰巧是个极其无能又爱管闲事的女人，而且她还是天下最没有耐性的人……我经常和妈妈争吵，但这完全是傻冒和自找苦吃。"林徽因的美国挚友费慰梅曾回忆："她的早熟使家中的亲戚把她当成一个成人而因此骗走了她的童年。"

早熟，使林徽因对社会、对人生、对家庭婚姻，对人情世故，有着比一般人更深刻的体验。这个时候，她开始拥有了自己独特的主见和看法。也正是这种早熟，使她终生保持着一份理性、沉静和务实，对降临到头上的种种苦难具有一种优雅而坚韧的承受力。

尽管林徽因骨子里追求人生的诗意和幸福，却决不会沉缅于不切实际的幻想。这正是她的聪明睿智之处。其实，人生最美好的事情，就是每天早晨都能看到生活赐予我们的那一米阳光。你只需微微抬头，45度角遥望天空，一大片暖暖的阳光就会直直地跌落心底。

心若安好，处处都是晴空。方寸之间，自有那丽日朗照，心底总能领受那满满的温暖。

在这个花季少女的纤纤指尖，开始盛放着一朵梦幻之花，灿烂而迷人。

林长民对女儿的爱是深挚而又理性的。

这位睿智的父亲，似乎很懂得怎样打造一个他想要的女儿的未来。带着女儿远游欧洲，可能是他一生中最富有远见、最成功的一个决定。

1918 年，林长民去日本考察时就想把十四岁的徽因带在身边，可是一直未能如愿。这让林长民感到非常遗憾。他曾经在给林徽因的信中写道："每到游览胜地，悔未携汝来观，每到宴会，又幸汝未来同受困也。"

可见，林长民对林徽因的爱是非同一般人，对关系到她的一切重大事情都早有考虑。比如女儿将来婚嫁的终身大事。林长民和梁启超是多年好友，1917 年的时候，他们一起在段祺瑞政府担任要职，林长民是司法部长，梁启超是财政部长。两位同僚意气相投，携手鼎力推动宪政运动，是政坛"研究系"的两柱顶梁。因此，林长民非常希望日后林徽因能够嫁给梁启超的长子梁思成，梁启超对两家结成秦晋之好也深表赞同。1918 年，林长民从日本回国，他们安排了林徽因和梁思成见面认识。两位老人不动声色，只是让他们先认识一下，希望一切都能水到渠成。于是，十七岁的梁思成和十四岁的林徽因第一次见了面，彼此留下了深刻印象。

1920 年春，林长民再次以中国国际联盟同志会驻欧代表的身份赴欧洲游历，兼以考察西方宪制。这回他终于实现了自己的夙愿，带着十六岁的林徽因一起远行。

古人说"读万卷书，行万里路"。林长民就象一位高明的人生导师，引领着爱女走向了广阔的世界。对此，他有着充分的自觉和深远用意。行前，他就明确告知女儿："我此次远游携汝同行，第一要汝多观察诸国事物增长见识；第二要汝近我身边能领悟我的胸次怀抱……第三要汝暂时离去家庭烦琐生活，俾得扩大眼光，养成将来改良社会的见解与能力。"他这种教育方法以及开明胸襟，让女儿终身受益无穷，无论视野、见识和胸怀都明显高人一筹。

他们父女俩由上海登上法国包利斯凯特（Pauliecat）邮船，航行在烟波浩渺的海上。第一次坐船远游的林徽因感到格外新鲜。她在船头凭栏纵目远眺，眼前的大海一望无际，水天一色，浩瀚广大。那些掠翅飞过的海鸟，那些银白色的海浪，带着海洋腥味的海上季风，那些新奇的异域风光，那深蓝色的海平面上冉冉升起的橙红色朝阳，都让林徽因感到了世界是如此开阔而神奇。她几乎感叹自己在海洋和世界面前是多么渺小。这种感受在江南的深深庭院里、在那洋学校的课堂上是无法得到的。

万吨客轮在浩瀚的印度洋上行驶了两个多月，每天看见的只能是波涛汹涌的大海，林徽因开始有种眩晕的感觉，以至于上岸后也仿佛行走在船上，看什么都是恍惚的。船行到地中海时，到了五月四日那天，同船赴法勤工俭学的一百余名学生举行"五四运动纪念会"。林长民和王光祈发表演讲。

林长民在演讲中说道："吾人赴外国，复宜切实考察。若预料中国将来必害与欧洲同样之病，与其毒深然后暴发，不如种痘，促其早日发现，以便医治。鄙人亦愿前往欧洲，以从诸君之后，改造中国。"

这时，林徽因看到的不再是一个家庭中亲切温和的爹爹，而是一个生气勃勃、激情昂扬的、似乎年轻得多的父亲。他满怀激情，热情善辩，美髯飘飘，脸庞仿佛被霞光镀上了一层淡淡的金光，他那掷地有声的语言充满了热情和勇气。

这一刻，她也似乎领会了父亲带自己出国的一些深意。她感到自己对于身后那个已经相距遥远的祖国，似乎也负有了某种责任。谁知这一丝眷恋竟潜入了她的血脉与灵魂，此后与她终生的事业相纠缠。

5月7日邮船到达法国，父女转道去英国伦敦，先暂时住入Rortland，后租阿门二十七号民房定居下来。7月上旬，林徽因随父亲漫游了欧洲大陆。世界以一种全新的方式，在十六岁的林徽因面前徐徐展露它的真容。她跟着父亲游历欧洲大陆，先后到过巴黎、日内瓦、罗马、法兰克福、柏林、布鲁塞尔等城市，她观赏过瑞士的湖光山色，比利时的钻石和动物园，看过法国巴黎的浪漫风情和灿烂文化以及德国的战火遗迹，领略过欧洲城堡建筑的艺术与华丽。

那年，她还是一个温婉端淑的十六岁花季少女。蝴蝶停在她的双辫发梢，无数美好的梦想正翩然起飞。我们可以想象，那时的她就象《罗马假日》里的那位安妮公主，婷婷玉立地站在罗马广场上，娇憨地伸出双手与鸽子嬉戏，撩起那飞扬的裙摆，在阳光下起舞。少女的明媚与生动在这一刻尽情绽放。

而在她那时的印象中，每一个欧陆风情浓郁的城市都那么美，让她过目难忘。古老而迷人的欧洲，像是一幅绚烂多彩的油画长卷，散发着高贵而迷人的气息。也许此时的林徽因明白了，生命好似永远是一本读不完的书，是一处看不够的风景。生命中的每一个日子都有美丽，每一处风景都值得好好欣赏。

此时对她来说，学会欣赏生命中的每一处风景，无论是雨季、还是艳阳天。这才是生命最美的体验。

在英国伦敦生活时期，林家住的阿尔比恩门 27 号是热闹的华人聚居处。林长民交游甚广，时常有中国同胞和外国友人来访。女儿林徽因自然成为父亲伦敦客厅的女主人，每天接待许多前来拜访父亲的中外人士。林徽因在英伦开始了各种各样的社会交往。

然而这不是一般的交际，她所结识的是一批中外精英人物：著名史学家 H.C. 威尔斯、小说家 T. 哈代、美女作家 K. 曼斯菲尔德、新派文学理论家 E.M. 福斯特，以及旅居欧洲的张奚若、陈西滢、金岳霖、吴经熊、张君劢、聂云台……领略过海外名山大川，结识过许多中外流，林徽因的人生在起步时就有这么高的平台，自然为她此后的脱颖而出准备了极佳的条件。

那时，父亲林长民出席"国际联盟协会"的会议，要与各国各地的有关人士晤面，他应邀去一些地方作演讲，还要接待许多慕名前来拜望他的当地留学生和华人社团成员。当他忙于这些事情的时候，常常顾不上徽因。

更多时候，林徽因一个人待在居住的寓所，调一杯咖啡，偎在壁炉旁，读她喜欢的书。许多英文版名作家的诗歌、小说、剧本，她都一一阅览。这时，她就会想起北京培华女子中学里学到的一切是多么有用，简直为她打开了一扇窗户，看到了一个全新的世界。现在她不必费力就可以和英国人沟通，也能自由地阅读。她读了大量维多莉亚时代的小说，读过了丁尼生、霍普金斯、勃朗宁的诗歌，最喜欢的就是读萧伯纳的剧本。刚开始，这种阅读还是以学习英语为目的，后来当渐渐领悟到文学的真谛时，她才发现翻译文本和原著之间的差异有多大。尽管她在国内时就曾经读到一些林琴南等人的中文译本。现在读过原著后才知道，那些译本是多么粗糙蹩脚，完全不足以传递原作的风采与神韵。

这种对西方文学的深入领会，使她的情感思想和生活方式悄悄发生着变化。现在，英语对她来说已经不仅仅只是一种语言，更是一种生活方式、一种内在思维和情感表达方式、一个完整的西方文化世界。林徽因的早期诗作就受到英国唯美派诗人的影响。如她写的《笑》：

> 笑的是她的眼睛，口唇，
>
> 和唇边浑圆的游涡。

艳丽如同露珠，

朵朵的笑向

贝齿的闪光里躲。

那是笑——神的笑，美的笑；

水的映影，风的轻歌。

笑的是她惺忪的鬈发，

散乱的挨着她耳朵。

轻软如同花影，痒痒的甜蜜

涌进了你的心窝。

那是笑——诗的笑，画的笑：

云的留痕，浪的柔波。

这首诗就象少女林徽因唇边的一个笑容。那轻轻地笑如"云的留痕，浪的柔波"，是从眼神、口唇边泛起的酒窝，那整齐洁白如编贝、启唇而露的玉齿，描绘了一个灿烂无比、甜美绝伦的笑，诗的笑，画的笑，是那样甜蜜，痒痒地涌进了人的心窝，那样细致入微，又别开生面，透出一种醇美的芳馨。

这年9月，林徽因考入爱丁堡的圣玛丽学院，学校距住处阿门二十七号两英里多路，由小路穿过一个公园，出园门即是学校，走大道就得雇车。校长是个七十来岁的孀妇，但热情而诚恳。在这所学校，林徽因学得一口纯正流利的

伦敦音英语。后来她一口流利优美的英文赢得了哈佛校长的女儿费慰梅由衷赞赏，两人成为最好的朋友。

在伦敦期间，林长民为爱女雇了两名教师，专门辅导英语和钢琴。英语教师斐理璞为人朴实忠厚。斐理璞母女一起住在林长民寓所，很快成为林徽因信赖与喜爱的朋友。斐理璞姻亲克柏利经营一家糖果厂，林徽因经常吃他的可可糖。多年后，林徽因回忆时还不能忘怀。

和她相处得十分密切的，还有柏烈特医生一家。柏烈特医生有五个女儿，她们和徽因相处亲密而快乐。1921 年夏天，林徽因随柏烈特全家去布莱顿海边避暑度假。布莱顿是英国南部的美丽海滨小城。一个多月里差不多天天下海游泳，和医生的几个女儿一起度过了一段浪漫时光。姑娘们泡在温暖的海水里嬉戏，头上是蓝天白云。她一时竟忘却了在伦敦的父亲，真切感受到异国生活的情趣。上岸休息的时候，她们躺在阳伞底下，用沙子把自己埋起来，然后晒太阳。

柏烈特医生最小的女儿用沙子堆了一个城堡，当快要成功的时候，城堡塌了。她对姐姐黛丝喊道："快来帮忙，工程师。"林徽因不解，问："黛丝，为什么叫你工程师？"

黛丝说："我对建筑感兴趣，将来想成为工程师。看你身后的那座王宫，我明天想去素描，你和我一起去吧，也和我讲讲你们中国的建筑。"林徽因问："建筑？是盖房子吗？"黛丝回答："建筑是一门艺术，像诗歌和绘画一样，和盖房子不是一回事，它也有自己独特的语言。"

　　林徽因第一次为建筑心动了。她仔细地观察了这个城市、这里的建筑、这里的每一处景观。当年里根特王子选择布莱顿作为其度假地以后，其他人纷纷前往，在当地留下了很多乔治风格的建筑。每一处建筑仿佛都变成一首诗、一幅画，呈现在林徽因面前，让她沉醉不已。这一次布莱顿之行似乎为林徽因一生的事业带来某种启发。

　　林徽因受伦敦房东女建筑师的影响也特别深。她常和那位女建筑师一道出去写生、作画。她最爱去的地方是剑桥一带，因为那里有画不完的建筑和景致。有时候，徽因拿着一本书，和女建筑师一起坐在草坪上，慢慢地欣赏这里的风景。肃穆庄严的尖顶教堂，散发着宁静、幽雅气息的三一学院，还有凝视着远方的拜伦雕像……

　　在和那女建筑师的交谈中，徽因知道了建筑师与匠人的区别，懂得了建筑与艺术密不可分。用这样的眼光再去回想她在国内、国外看过的庙宇和殿堂，她就对这些建筑有了完全不同的理解和感受。后来，她还常常看到女建筑师那些铺在桌上的设计图纸，那绘制得十分精美的建筑物让人惊叹。最妙的是，这些建筑不仅仅是纸上的画，更能变成现实中的实物供人们欣赏和居住。仿佛从这一时期起，她才找到艺术存在的意义所在。艺术之美好比是灵魂，这样的灵魂却必须有一个躯壳来居住。只有建筑才能做到。

　　西方哲人曾经把建筑喻作"凝固的音乐"。建筑艺术比较强调形式美，讲究均衡、对称、变化、和谐、比例等，有节奏、有意境的建筑是跳动的，有音韵旋律的美蕴涵其中。那位女建筑师告诉她，建于1163年的巴黎圣母院，是欧洲

早期哥特式建筑中最杰出的代表。它全部是由石头构筑而成的，包括门楣、窗棂和纤巧的网状面罩式装饰。整座建筑恢宏雄壮，在建筑史上被赞誉为"一支巨大的石头交响乐"。

走进巴黎圣母院，当你通过一个小的门厅进入一个相当大的过厅，又从过厅迈入另一个具有不同特点的空间时，建筑物的各个部分会依次展现在你的面前。室内空间的大和小、宽和窄，横排的房间和纵列的走廊等组成的空间变化和渐变的旋律，会使你感受到一种有秩序的变化所形成的美。这就像你在聆听一支乐曲时，它的序曲、逐步展开的主题、变奏、高潮和结束所给你带来的那种心旷神怡的感受一样。建筑是一种空间艺术，但它在欣赏者的眼中，又变成一种在时间中逐渐展开的空间序列，这在大型建筑群和园林建筑中表现得格外突出。建筑的这一特点使它更加接近音乐。

据说贝多芬在创作著名的《英雄交响曲》时，曾受到过巴黎圣母院等建筑的启示。因此，贝多芬深有体会地说："建筑艺术像我的音乐一样，如果说音乐是流动的建筑，那么建筑则可以说是凝固的音乐。"

想起和父亲游历欧洲各国时见到的那些风格迥异、美仑美奂的各式建筑，林徽因的心怦然跳了一下。而这位女建筑师在她眼中也变得神奇起来。就是从这时候开始，林徽因萌生出了对未来一生理想的朦胧愿望：她将来要做的工作，或许就是要将美的艺术和人们的生活需要结合起来。她将来要从事建筑设计！

是的，建筑既是一种艺术美和诗意的呈现，又具有现实的居住功能。既是令人陶醉的审美对象，又不失现实的功用，这仿佛是林徽因一生爱情与人生的哲学表达：既在高高云端享受优雅的诗意之美，又决不凌空蹈虚、脱离脚下坚实厚重的大地。这个重大的人生选择，正隐藏着林徽因早年生活的诸多心路历程。

父亲主导的这次欧洲远游中，找到了未来人生的方向目标或许是林徽因最大的收获。小女子站在东西方文化交汇的风口浪尖，轻轻握住了自己未来的日月乾坤。

在这个花季少女的纤纤指尖，开始盛放着一朵梦幻之花，灿烂而迷人。

04 ｜ 惊艳

　　她清新俏丽的面容，明亮纯净的眼眸，那脸颊边宛若可以点亮四面风的白净笑涡。整个人仿佛都浴在一片柔和而诗意的光晕里。

　　这让他心底为之轻轻一颤：多么绝妙的青春女子！

　　孤独的时候，人总是希望生活中有浪漫发生。

　　伦敦这座美丽的雾都，总会飘起缠绵悱恻的烟雨。而这位寂寞的东方少女常常走到窗前，看着眼前这座城市轻轻笼在一片迷茫的雨雾里。街头昏黄的路灯光影里，总能看见无数纷然飘洒的斜细的雨线，被湿凉的风吹得不停地改变着方向。那些晃动的五颜六色的伞影令人恍惚，而匆匆行走的行人似乎没有表情，那雨雾里耀眼的车灯骤然把斑马线照得雪白，那街边被雨水打湿的垂柳、玉兰、桂树和郁金香色彩变得深冷清艳。

　　都市街头在雨中的纷乱与匆忙，也总让她感觉出某种与往日不同的情境。

入夜，一个人静静地听雨，窗外滴滴答答响个不停，周围安静得除了雨声什么也听不到。她总希望能眼前有几株芭蕉、一片竹林，或是一潭池水，几只残荷，残荷中偶而露出一抹嫣红。雨打芭蕉，风竹摇曳，残荷滴雨，都是动人的雨中意境。

虽然父亲视林徽因为掌上明珠，送她上学，带她出国历游，有事都同她商量，但她的心里依然有一种孤寂、失落和苦闷。尤其是在英国居住的两年里，林徽因是寂寞的，尤其在父亲去欧洲各国开会的时候。毕竟这是她第一次从早到晚孤单地打发二十四小时，她才十六七岁，又是一个人在异乡天涯。

1937 年，林徽因曾给好朋友沈从文写过这样一封信，回忆父亲，以及和父亲一起的伦敦生活："我独自坐在一间顶大的书房里看雨，那是英国不断的落雨……（我）一个人吃饭，一个人咬着手指头哭——闷到实在不能不哭！理想的我老希望着生活有点浪漫的发生，或是有个人叩下门走进来坐在我对面同我谈话，或是与我同坐在楼上炉边给我讲故事，最要紧的还是有个人要来爱我。我做着所有女孩做的梦，而实际上却是天天落雨又落雨，我从不认识一个男朋友，从没有一个浪漫聪明的人走来同我玩。"

十六岁的中国少女林徽因常常在下雨天一个人看着天井里滴落的雨水，寂寞地无聊地遐想，遐想生活会出现奇迹。她希望可以像童话里所写的一样，期待在这异国他乡会有一个多情男子走进她的生活。和喜欢的人围着壁炉喝咖啡，在烤面包的香味里，彼此随意轻松地诉说心情。时光如剑河的水波，身边舒缓而深情地流淌。那时，伦敦的雨真象一个童话的梦境。

恰恰在这时，在伦敦经济学院学习的徐志摩出现了。

1920 年的 11 月 16 日，伦敦的薄雾总是那么缥缥缈缈、若有若无，恍若一片轻纱，一个梦境。

雾蒙蒙的天气里，一个操着浙江海宁口音、清清瘦瘦的青年在朋友陪伴下，叩响了林家寓所的大门。他就是正在经济学院读博士学位的徐志摩，和他一块儿来的张奚若是伦敦大学政治经济学院的留学生。他们都是慕名前来拜访林长民。此前在一次国际联盟协会的演讲会上，陈西滢、章士钊和徐志摩一起听了林长民慷慨激昂的演讲。徐志摩听得如痴如醉，极盼结识这位激情洋溢、学识不凡的长者。

林长民很喜欢和青年人交朋友，所以很快就喜欢上了这个戴着玳瑁镜片、面容清俊的青年。他们谈得很开心，两人很快就成了相见恨晚、无话不谈的朋友。徐志摩惊讶林长民"清奇的相貌，清奇的谈吐"。在他眼中，林长民就是一个谈锋谐趣的"书生逸士"。而林长民也很欣赏徐志摩的才情。林长民告诉徐志摩，他在留日期间曾经爱上一个日本女孩，并向他倾诉自己对婚姻的感受。徐志摩则向他讲述留美的经历，对学业的厌倦。

这种一见如故的忘年友谊，在短短的时间内突飞猛进，甚至发展到二人互通"情书"、玩起"情爱游戏"的地步。徐志摩扮一个有夫之妇，名唤仲昭；林长民则扮一个有妇之夫，叫做苣冬，假设两人在不自由的情况下相爱，只能互通书信倾诉绵绵情意。两个接受过留学教育的书生，用这种匪夷所思的方式，来描摹他们渴望自由的情爱世界。更有意思的是，徐志摩在回国之后还将一封林长民给他的"情书"公开发表。徐志摩赞这封情书"至少比他手订的中华民国大宪法有趣味有意义甚至有价值得多"。徐志摩还写过一篇浓艳的短篇小说《春痕》，其中的主人公"逸"，就是以林长民为原型的。

可以说，林长民的浪漫才情进一步激发了徐志摩内心的激情，便他更加开放、活跃。他说，当时他们两人"彼此同感'万种风情无地着'的情调。"林长民的这种浪漫才情，毫无疑问地也让女儿继承了。

那天，徐志摩其实也见到了林徽因。可能因为初次见面的拘谨，没有留下特殊的印象。据同去的张奚若回忆，那一天林徽因居然差点脱口叫了徐志摩和他一声"叔叔"。这成了后来人们津津乐道的一桩谈资趣事。

第二天徐志摩去林家父女住处时，恰巧林长民临时有事外出，给他开门的是一个亭亭曼妙的少女。这位花季少女明眸皓齿，一双弯弯的笑眼秋水盈盈。她那秀挺的身材、清雅的气质，纯真的微笑，周身散发出迷人的气息。在徐志摩看来，无不令人怦然心动，大有一种"天上掉下个林妹妹"的感觉。

这一年，徐志摩已有二十四岁。而林徽因正好十六岁，已经是一个风姿绰约的少女。林徽因出生杭州，祖父在徐志摩家乡浙江海宁做过父母官，母亲又是浙江嘉兴人，毗邻海宁。如今，在伦敦邂逅徐志摩恰似他乡遇故人，亲切的江浙乡音使他们很快就消解掉了初识的陌生。

交谈中，志摩偶而会注意到，她清新俏丽的面部轮廓，她明亮纯净的眼眸，

那脸颊边宛若可以点亮四面风的白净笑涡。整个人仿佛都浴在一片柔和而诗意的光晕里。

这让他心底为之轻轻一颤：多么绝妙的青春女子！

从此，志摩便成了林家常客。

每天下午四点，饮茶是林长民的功课。这是英国式的生活方式，志摩也很快入乡随俗。他常常携二三好友来到林公馆，陪林长民聊天。

每一次林长民和徐志摩聊天的时候，她只是坐在一旁安静地听着，一双明亮的眼睛闪动着灵慧的光芒。客人喝茶时，林徽因便端上几碟热腾腾的小点心。林徽因莫名地发现，那个徐志摩看她的目光里有一种亮亮的、不明所以的东西。

聊到兴酣，林长民照例铺开宣纸，挥毫落笔，满纸森然，酣畅淋漓。徐志摩、林徽因在一边铺纸奉茶，兴致勃勃。林长民长于行楷书法，行云流水，散淡洒脱。他所书写的"新华门"匾额，至今悬于长安街上。

随着与林长民交往的深入，徐志摩和林徽因也熟了起来。林长民和徐志摩互为知己，而林长民与女儿相互间也互为知音。林徽因与徐志摩自然也是相谈甚欢。他发现，这个女孩梳着两条垂到肩膀的细细的辫子，从外表看像个清纯稚嫩、不谙世事的女学生，却是一个可以对话的朋友。

有道是："知女莫如父。"当志摩把自己的发现告诉了林长民，林长民不无自豪地宣称："论中西文学及品貌，当世女子舍其女莫属。"还当着这个陌生青年的面，喊她的乳名"徽徽"。最后，他还说："做一个天才女儿的父亲，不是容易享的福，你得放低你天伦的辈分，先求做到友谊的了解。"

很多时候，徐志摩与林徽因在里屋聊天。对于林徽因来说，她深为有这么一位才华横溢、善良体贴的朋友而庆幸。对于这个世界的满腹看法和心思也有人倾听了。一切变得似乎更有活力，更有激情了。有一天，林长民放下笔时，徽因、志摩双双从里屋出来，他竟脱口对房中的客人叫道："你们看，我家徽徽和志摩是不是天生的一对？"他俩顿时羞红了脸颊。

林长民是个生性洒脱的人，这不过是兴之所至的一句玩笑话。但对于情窦初开的女儿却可能有某种催化作用的。人生若只如初见。一个纯情丽质的少女，一个是浪漫满怀的诗人。不难想象，远在异国他乡举目无亲，与来自同乡的徐志摩天然有种亲切感。情窦初开的女孩子很容易被他英俊的外貌、洒脱的谈吐和翩翩风度所吸引。

这样年轻多情的才子，总能满足一个少女对浪漫诗意的所有向往和幻想。

有时，徐志摩来时，父亲不在。林徽因也会以主人身份招待，也会和这个温雅有趣的年轻人聊天。在聊天过程中，徐志摩发现林徽因读过很多书。他们常常谈及一些作家的作品，有很多是外国的原著。他们在壁炉前喝着咖啡，从伦敦冬季恼人的雨雾谈起，谈到英国的诗歌文学。他告诉徽因，他最喜欢的诗人是拜伦、雪莱和济慈，徽因立即用英语背诵出来。

林徽因自小口齿伶俐，表达能力极强。她的北京话略带一点儿福建方音，

而她的英语则是地道的牛津音，发音吐字非常动听。经过一段时间的接触，徐志摩已深深地被林徽因所吸引。他自己也说不清楚，怎么会如此迷恋这个姑娘。也许是因为他能从林徽因的眼睛里读到一种精神上的共鸣，也许是感受到了被女孩子崇敬仰慕的快乐。在交谈中，徐志摩感觉到，林徽因的可爱不仅在她的外貌，更在于她活泼跳跃的思维、明澈清新的见解。她对文学艺术的理解和悟性超出了她的年龄。这让徐志摩强烈感觉到，自己喜欢的女子就在眼前。不管将来如何，她都会是他的灵魂伴侣。

　　他说，今生你若为水中的红莲，我便是那晚风中的红蜻蜓，轻轻停留在莲心低语。你若为蝴蝶，我化作一双斑斓彩翼，跟随你一起翩跹天涯。

一　生　盛　放　如　莲　花

是谁笑得那样甜，那样深，
那样圆转？一串一串明珠，
大小闪着光亮，进出天真！
清泉底浮动，泛流到水面上，
灿烂，分散！

是谁笑得好好花儿开了一朵？

那样轻盈，不惊起谁。

细香无意中，随着风过，

拂晓在短墙，丝丝在斜阳前

挂着——留恋。

一 生 盛 放 如 莲 花

第二卷

玫瑰之殇：剑河康桥上的多情诗人

我将于茫茫人海中访我唯一
灵魂之伴侣；得之，我幸；
不得，我命，如此而已。

——徐志摩

轻轻的我走了，正如我轻轻的来；

我轻轻的招手，作别西天的云彩。

那河畔的金柳，是夕阳中的新娘；

波光里的艳影，在我的心头荡漾。

徐志摩《再别康桥》

遇见，似一场花开。岁月的转角处，人生的聚散离合都是一场缘起缘落。

二十四岁的徐志摩面容英俊，谈吐儒雅，风度翩翩。面对如此男子，情窦初开的林徽因又怎能心静如水？

在不断的交往中，他们彼此相见恨晚。徐志摩喜欢她淡若远山般的眉，喜欢那双眼睛里的盈盈秋水，喜欢她白净脸颊上时隐时现的笑涡，喜欢她那宛转

动听的声音，……她那清新动人的美丽让他心动。她的整个人便仿佛是一首诗，那样灵动清新，洋溢着青春的欢悦。美丽的爱情如清晨的阳光，总是让人沉醉，让人神往，让人千回百转。

志摩坠入了爱河。在剑河的康桥之上，留下了他与她亲密漫步的倩影。他们常常踩着银色的月光，静静地在河岸边漫步，空气里弥漫着清甜的味道，康桥下的柔波微微晃漾着，身影在那轻盈弥漫的雾中时隐时现。月光灯影下的河岸，更具有一种别样的风情。英伦剑河之美，不只是油画般的异国情调，它的高贵和宁静又带有几分忧郁，远处尖顶教堂里晚祷的钟声悠远地响起来。

在康桥，徐志摩深深感到"大自然的优美，宁静，调谐在这星光与波光的默契中不期然的淹入了你的性灵"。

在这儿，剑河给了徐志摩诗意流溢的灵性。

据说，林徽因后来有一首名作《那一晚》，写的就是 1920 年康桥的"那一晚"，她说：

　　　　那一晚我的船推出了河心，

　　　　澄蓝的天上照着密密的星，

　　　　那一晚你的手牵着我的手，

　　　　迷惘的黑夜封锁起重愁。

　　　　那一晚你和我分定了方向，

两人各认取个生活的模样。

到如今我的船仍然在海面飘，

细弱的桅杆常在风涛里摇。

到如今太阳只在我背后徘徊，

层层的阴影留守在我周围。

到如今我还记着那一晚的天，

星光、眼泪、白茫茫的江边！

到如今我还想念你岸上的耕种：

红花儿黄花儿朵朵的生动。

那一天我希望要走到了顶层，

蜜一般酿出那记忆的滋润。

那一天我要跨上带羽翼的箭，

望着你花园射一个满弦。

那一天你要听到鸟般的歌唱，

那便是我静候你的赞赏。

那一天你要看到零乱的花影，

那便是我私闯入当年的边境！

　　林徽因的出现打开了徐志摩内心的狂热和激情。她的艺术气质跟她父亲一模一样，她的美丽活泼、她敏锐的洞察力使徐志摩倾倒。她的艺术灵感和谈吐

见解，常常激发出他写诗的灵感和火花，使徐志摩萌发了诗意和激情，触发他的诗兴情思。

他平生的追求和志趣发生了转移。他想成为一个诗人。

徐志摩出生于江南富商之家。他们徐家世代经商，父亲徐申如早年继承祖业，独资经营徐裕丰酱园。后来又合股创办硖石第一家钱庄——裕通钱庄，又开设人和绸布号。其实业蜚声浙江。徐申如希望儿子将来继承祖业，便送他到英国伦敦经济学院学习。徐志摩自己的野心也曾经想做一个中国的汉密尔顿，成为兼通经济的政治家。他留美时甚至一度钻研过社会主义。

在美国读经济学期间，徐志摩接触到了罗素的哲学，所以投奔到罗素门下，可是罗素却因为和学校意见不一致而被校方解聘。在绝望的时候，他考取了剑桥经济学院。半年之后，他认识了知名作家狄更生。经过一番周折，狄更生将他推荐到剑桥皇家学院，他成为了一名可以随便选课的特别生。

徐志摩说过："我查过了我的家谱，从永乐以来我们家里没有写过一行可供传诵的诗句。在 24 岁以前，我对于诗的兴味远不如我对于相对论或民约论的兴味。我父亲送我出洋留学是要我将来进'金融界'的。我自己最高的野心是想做一个中国的 Hamilton(汉密尔顿，美国的第一任财政部长，开国元勋)。在 24 岁以前，诗，不论新旧，于我是完全没有相干。"

他本来就具有浪漫不羁的诗人气质。在进入剑桥大学学习之后，他大量阅读乔治·华兹华斯、拜伦、雪莱、哈代、艾略特等著名诗人、作家的作品，沉浸于文学的世界。从这个时候起，徐志摩对政治的热爱转向对文学的痴迷，他崇拜的偶像不再是美国的汉密尔顿，而是英国的雪莱和拜伦。这一转变最终塑造了诗人、文学家的徐志摩。

"我想，我以后要做诗人了。徽因，你知道吗？我查过我们家的家谱，从永乐以来，我们家里，没有谁写过一行可供传颂的诗句。我父亲送我出洋留学，是要我将来进入金融界的。徽因，我的最高理想，是想做一个中国的汉密尔顿。可是现在做不成了，和你在一起的时候，我总是想写诗。"

美丽的康桥，从这里走出了多少天才的思想家，科学家和艺术家，他们的名字犹如天上一颗颗光芒闪耀的星座。如今，徐志摩也会成为这样的一颗星座吗？

林徽因眼睛亮晶晶地盯着他看，忽然想起一位朋友讲给她的故事：他和徐志摩同在剑桥大学，一天外面下着很大的雨，徐志摩穿着雨衣来拉他到桥上看彩虹。朋友说："下这么大的雨，不怕淋病了，我不去，我劝你也别去。"可是志摩却硬是孩子般跑到康桥上冒雨等待，最终看到了彩虹。

林徽因觉得很有趣，好奇地问道："有一天下起了倾盆大雨，你去温源宁的校舍约他到桥上看虹去，有过这样的事吗？"徽因好奇地问。志摩点点头。

"你在桥上等了多久，看到虹了吗？"

"看到了。"

"你怎么知道一定会有虹？"

"呵！那完全是诗意的信仰。"

　　他的眼睛若有所思地看着那荡漾的河水，那水波里粼粼闪动的梦幻般的影子。她默默地听他说话，静静地感受着河面上拂面的柔风。

　　"完全诗意的信仰"，为其付诸一切，那是怎样一种痴。徐志摩的才华，他奔放的热情，还有从他的话语中流露出来的痴情与执着，仿佛孩子般的天真，这些仿佛是剑河上吹来一阵春风，一下子吹皱了少女林徽因心中的那池春水。

　　除了父亲，林徽因从来没有和另外一个男子说过这么多话，也从来没有这么开心过。这一刻，林徽因觉得世界不再那么空虚了，一切都变得有意义、有激情起来。

　　夕阳细草，沙渚残潮，十六岁的少女徽徽将青春的笑容写得涡影荡漾，纤梦轻飞。

　　为了给林徽因写信，徐志摩还特意在沙士顿乡下住处旁的一个理发店里，专门设置了一个邮件转递箱。他每天都要去收信取信。每隔一两天，徐志摩便寄出一封信，那些信全部是寄给林徽因的。徐志摩热烈火辣的信，让豆蔻年华的林徽因激动不已。她给徐志摩的回信也让徐志摩读得神魂颠倒。

　　徐志摩疯狂地爱上了林徽因，写下一首首热情洋溢的情诗："如果有一天我获得了你的爱，那么我飘零的生命就有了归宿，只有爱才能让我匆匆行进的脚步停下，让我在你的身边停留一小会儿吧，你知道忧伤正像锯子锯着我的灵魂。"

徐志摩已经变成一团蓬蓬燃烧的火，充满了活力和朝气。如他自己说的："我是个好动的人，每回我身体行动的时候，我的思想也仿佛就跟着跳荡。"尽管徐志摩每隔一两天就到林家公寓喝茶、聊天，但他差不多每天都有信寄给林徽因，每一封信都有让她脸热心跳的句子。那些日子，林徽因总是被那些信中的文字折磨得辗转难眠。

"也许，从现在开始，爱、自由、美将会成为我终其一生的追求，但我以为，爱还是人生第一件伟大的事业，生命中没有爱的自由，也就不会有其他别的自由了。"

"当我的心为一个人燃烧的时候，我便是这天底下最幸运又是最苦痛的人了，你给予我从未经历过的一切，让我知道生命真是上帝了不起的杰作。"

对于一个情窦初开的少女来说，诗人的信有一种无法拒绝的魔力，有一种难以抵御的吸引。这种火一般的爱恋让少女林徽因感觉到一种新奇的体验，让她激动、快乐而又困惑。

有了这些文字，有了这些信，她感到伦敦城里的那些雾仿佛都一点一点地散了，阳光慢慢照亮了天空。

在与林徽因频繁而又让人着迷的交往中，徐志摩觉得自己终于找到了梦想中的伴侣。他在日记中宣泄自己的感情，灵感闪现便给林徽因写信倾诉，用他自己的话说："正当我生平最重大一个关节，也是我在机械教育的桎梏下自求解脱的时期，所以我那时的日记上只是泛滥着洪水，狂窜着烈焰，苦痛的呼声参合着狂欢的叫响，幻想的希望蜃楼似的隐现着……"

最后，徐志摩大胆地给林徽因写了一封热烈直白的求爱信。

林徽因读了心怦怦然，但冷静下来一想却犹豫惶惑。在林徽因看来，他们初相识的时候，只是把他当做一个可亲可爱的"大朋友"。和他在一起是有趣而快乐的，日子过得轻松而令人娱悦。可是，当这位比自己年长而且已婚的男子赤裸裸地向她表达爱慕之情的时候，十六岁的林徽因心如鹿撞，一时感到无所适从，开始迷惘惶恐起来。最后她不得不求助父亲。

父亲林长民曾经在政坛纵横捭阖，当然头脑要冷静理智得多。徐志摩已是有妇之夫，其浪漫天性难以约束。林徽因以未嫁之身陷入这等漩涡之中是极不妥当的。更重要的是，他在来英伦以前已经与梁启超有儿女婚娶之约。从女儿终身大事和一生幸福计，他当然认为徐志摩的鲁莽之举是不适当的。所以就有了林长民给徐志摩这一封信：

> 志摩足下：
>
> 　　长函敬悉，足下用情之烈，令人感悚，徽亦惶恐不知何以为答，并无丝豪（毫）mockery（嘲笑），想足下惧（误）解耳。星期日（十二月三日）午饭，盼君来谈，并约博生夫妇。友谊长葆，此意幸亮察。敬颂文安。
>
> 　　　　　　　　　　弟长民顿首，十二月一日。徽音附候。

这封信既不愿伤徐志摩的面子，希望能继续保持友谊，又要将婉拒之意表达清楚。可谓用心良苦，曲尽其意。

  得昨夕手书，循诵再三，感佩无已。感公精诚，佩公莹絜也。
明日午餐，所约戚好，皆是可人，咸迟嘉宾，一沾文采，务乞惠
临。虽云小聚，从此友谊当益加厚，亦人生一大福分，尚希珍重
察之。敬复

志摩足下

长民顿首十二月二日

  第三天午餐吃得如何无从知晓，想来彼此都不乏绅士风度。此刻，徐志摩
内心的情感自是灼热。

  你可以有你的决定，我依然有我的坚持和执着。

康桥附近的沙士顿是个只有几十户人家的小镇，有着英格兰古老的韵味。

这里有着美丽的田园风光、别致而古老的街道和建筑、浓浓的乡土风情。风景比画还美。靠村边一所低矮的农舍，就是徐志摩和张幼仪的家。徐志摩已经结婚4年并有一个两岁的孩子。他与夫人张幼仪正住在沙士顿乡下。

六年前，徐志摩还在杭州一中读高中。当时的政界、金融界名流张幼仪之兄张家璈到浙江省的名校视察。他在视察中看到了徐志摩的国文考卷，嘉许赞赏之余，回去即托人向徐志摩的父亲徐申如求亲，以其小妹张幼仪相许配。

天资聪颖的张幼仪也是大家闺秀，其两位兄长均为政界要人，徐申如欣然允诺了这门亲事。1915年10月，十五岁的张幼仪被迫退学，披上嫁衣，与徐志摩结婚。熟识她的人回忆说："谈不到好看，也谈不到难看。嘴唇比较厚，生得黑"。但她性情和善，为人颇受好评，"其人线条甚美，雅爱淡妆，沉默寡言，秀外慧中，亲故多乐于亲近之，然不呼其名，皆以二小姐称之。"

但天性崇尚自由、追求浪漫的徐志摩对这桩婚姻深为不满。奉命成婚之后，看她百般不顺眼。有一次，徐志摩在院子里读书，突然喊一个佣人拿东西，又感觉背痒，就喊另一个佣人抓痒，一旁的张幼仪想帮忙，徐志摩却用眼神制止了她。那是轻蔑不屑的眼神让人不寒而栗。三年前，徐志摩只身出国，先到美国麻州克拉克大学读经济学。一年前从美国来到伦敦。夫人张幼仪和儿子是在徐志摩到英国后，从家乡硖石来到这里。

对于这段生活，张幼仪回忆说："我来英国的目的本来是要夫唱妇随，学些西方学问的，没想到做的尽是清房子，洗衣服，买吃的和煮东西这些事，""他的心思飞到别处去了，放在书本文学、东西文化上面。""我没法子让徐志摩了解我是谁，他根本不和我说话……我和自己的丈夫在一起的时候，情况总是：'你懂什么？'你能说什么？'"张幼仪说，他们结婚以来夫妻之间很少说话，关系冷漠。

尽管张幼仪尝试着努力精心料理好家庭生活，但始终得不到徐志摩的认可。徐志摩对爱情充满诸多的幻想和期待。当别人硬塞给他一个新娘时，他的第一反应是像刺猬一样竖起全身的刺。所以徐志摩会在看到张幼仪照片的时候，鄙夷地说，"乡下土包子。""观念守旧，没受教育"，甚至曾对她说过要成为"中国第一个离婚的男人"。

她每每见到徐志摩那魂不守舍的目光，就知道他的心已经不在这里。当张幼仪见到林徽因之后，更是看出了她与徐志摩的关系。

到 1921 年春天，他们的婚姻遇到了前所未有的危机。

事实上，张幼仪对徐志摩的情感变化已有察觉。此前，徐志摩足足有半年时间言必称林徽因。她后来回忆说："几年以后，我才从郭君那儿得知徐志摩之所以每天早上赶忙出去。那时伦敦和沙士顿之间的邮件送得很快，所以徐志摩和他女朋友至少每天都可以鱼雁往返。"

显然徐志摩已经心有所属。这是命运对她最大的打击，因为现在她肚子里正怀着徐志摩的孩子。从 1915 年结婚至今，他们也已有了一个孩子。志摩也非常喜爱她，难道这一切他都忍心抛下？

然而，这个时候萦绕在徐志摩脑际的，是林徽因那摇曳多姿的身影。他爱她爱得真挚，爱得痴迷，爱得忘我，爱得发狂。他越是思念她，就越是觉得自己家庭生活的平庸与乏味，自己同枕共眠的妻子竟然不能成为自己灵魂的伴侣，这是多么可悲。

面对已经无爱的妻子和这个乏味的家庭，他简直一刻也忍受不下去了。

在徐志摩看来，解除了这种没有爱情的婚姻关系，就解除了他的痛苦。假如没有这种勇气，怎么能谈得上改良社会、造福人类？他决心"勇决智断"，去争取自己真正的恋爱、真正的幸福、真正的生命。8 月初，张幼仪已经怀孕了。徐志摩得知后却要求她立即把孩子打掉。年月打胎是危险的，张幼仪说："我听说有人因为打胎死掉的。"徐志摩冷冰冰地说："还有人因为坐火车死掉的呢，难道你看到人家不坐火车了吗？"他对张幼仪已没有耐心，在没有对母子俩生活作任何安排的情况下便离家出走了。

张幼仪彻底失望了，一度竟有一死了之的轻生念头。经过仔细思考后，她选择了离开沙士顿。她听从兄长劝告，准备前往德国求学。

1922 年 2 月，张幼仪在德国生下了第二个儿子彼得。徐志摩知道后赶到柏林。虽然现在还没得到林徽因的允诺，他却仍然不顾家人和亲友的一致反对，坚决要与张幼仪离婚。

徐志摩在给张幼仪的信中写道："无爱之婚姻无可忍，自由之偿还自由，真生命必自奋斗自求得来，真幸福亦必自奋斗自求得来！彼此前途无限……彼此有改良社会之心，彼此有造福人类之心，其先自作榜样，勇决智断，彼此尊重人格，自有离婚，止绝苦痛，始兆幸福，皆在此矣。"

张幼仪看到此信后的第二天，便赶到徐志摩借住的吴经熊家里，由吴经熊、金岳霖作证忍痛与徐志摩离婚。不久，徐志摩将《徐志摩、张幼仪离婚通告》刊登在《新浙江》副刊《新朋友》上，同时也作了一首《笑解烦恼结——送幼仪》，一并登在报上：

一

这烦恼结，是谁家扭的水尖儿难透？

这千缕万缕烦恼结是谁家忍心机织？

这结里多少泪痕血迹，应化沉碧！

忠孝节义——咳！忠孝节义谢你维系

四千年史骸不绝，

却不过把人道灵魂磨成粉屑，

黄海不潮，昆仑叹息，四万万生灵，

心死神灭，中原鬼泣！咳，忠孝节义！

二

东方晓，到底明复出，

如今这盘糊涂账，

如何清结？

三

莫焦急，万事在人为，只消耐心

共解烦恼结。

虽严密，是结，总有丝缕可觅，

莫怨手指儿酸、眼珠儿倦，

可不是抬头已见，快努力！

四

如何！毕竟解散，烦恼难结，烦恼苦结。

来，如今放开容颜喜笑，握手相劳；

此去清风白日，自由道风景好。

听身后一片声欢，争道解散了结儿，

消除了烦恼！

但是，张幼仪坚持认为，徐志摩离婚是因为爱上林徽因在先，所以这反对封建婚姻的诗没有说服力，打动不了她。

徐志摩离婚的行为遭到了父母的激烈批评。在张幼仪动身去德国之前，徐志摩就频繁收到老父亲徐申如言辞激烈的家书。徐志摩的父亲徐申如一直非常欣赏疼爱张幼仪，加之又关涉徐张两家在当地的声誉和关系，故而他一再申明，如果儿子真的抛弃结发妻子，他将登报断绝父子关系。但警告似乎没有一点作用，徐志摩最后还是坚持自己的选择。

志摩与张幼仪离婚的消息一传到家乡，无异于平静的湖面掀起阵阵波澜。徐志摩的父亲徐申如听说儿子如此对待妻子，又恼又怒，怨恨志摩太不懂事，所作所为毫不顾及社会的影响及家庭的名声，简直是荒唐到了极点！气愤之下宣布断绝父子关系，停止供粮。转而把张幼仪认作干女儿，支持她在德国求学，将银行业务及财产交由张幼仪主管。这位性格倔强的老人至死也没有原谅儿子。

　　此后，这位徐家大公子就只能靠自己的双手养活自己了。

　　在这前后，徐志摩有过一些关于爱情、自由的表白。也许他是真诚的，对自己所追求的爱情理想的正当性、合理性笃信不移。深陷情热之中的徐志摩已无法顾及到张幼仪的感受，作为丈夫和父亲的责任也被他轻忽了。

　　不过，徐张离婚成了近代史上头一宗西式离婚事件，徐志摩终于做了离婚第一人。那时他的文名尚未远播，所发布的离婚通告却石破天惊，成为头号新闻并震动了中国，挑战了百年前中国的封建婚姻制度。人们惊奇并且议论纷纷。

　　对于前妻张幼仪毅然答应离婚，并在后来走上自立自强之路，徐志摩认为她不失为"一个有志气、有胆量的女子"。

　　1923 年 1 月，梁启超在上海得知徐志摩离婚后，立即以老师身份致信当时正在北京的徐志摩，苦心劝导他："其一，万不容以他人之苦痛，易自己之快乐。弟之此举，其于弟将来之快乐能得与否，殆茫如捕风，然先已予多数人以无量之苦痛。其二，恋爱神圣为今之少年所乐道。……兹事盖可遇而不可求。……况多情多感之人，其幻想起落鹘突，而得满足得宁贴也极难。所梦想之神圣境界恐终不可得，徒以烦恼终其身已耳。呜呼志摩，天下岂有圆满之宇宙？……当知吾侪以不求圆满为生活态度，斯可以领略生活之妙味矣。……若沉迷于不可必得之梦境，挫折数次，生意尽矣，郁邑佗傺以死，死为无名。死犹可也，最可畏者，不死不生而堕落至不复能自拔。呜呼志摩，可无惧耶！可无惧耶！"

一代大师梁启超学贯中西，久经世事，阅历丰富，深通人情。他出于对自己这位学生的爱心和责任，信中字字出于肺腑，句句语重心长。他看到徐志摩这种不管不顾、执着一己追求的行为是追求一种"梦想之神圣境界"，预料到他必要失败。宅心仁厚的梁启超又深怕年少的他经受不起几次挫折，所以谆谆告诫徐志摩："天下岂有圆满之宇宙？"

徐志摩虽对老师一贯敬佩有加，但在爱情与婚姻问题上却毫不退让。他立即回复了梁先生一封信，不承认自己是以他人的痛苦来换自己的欢乐："我之甘冒世之不韪，竭全力以斗者，非特求免凶惨之苦痛，实求良心之安顿，求人格之确立，求灵魂之救度耳。人谁不求庸德？人谁不安现成？人谁不怕艰险？然且有突围而出者，夫岂得已而然哉？我将于茫茫人海中访我唯一灵魂之伴侣；得之，我幸；不得，我命，如此而已。"

他坚信他的理想是可以创造培养出来的："嗟夫吾师：我尝奋我灵魂之精髓，以凝成一理想之明珠，涵之以热满之心血，明照我深奥之灵府。而庸俗忌之嫉之，辄欲麻木其灵魂，捣碎其理想，杀灭其希望，污毁其纯洁！我之不流入堕落，流入庸懦，流入卑污，其几亦微矣！"

这是一个理想主义者的爱情宣言，如泣诉，如长歌、如恸哭。在徐志摩身上，仿佛让人看到了《红楼梦》里那位怡红公子披着大红猩猩毡、随着一僧一道飘然远去的孤绝身影。为了爱、为了自由，他们都一样有着冲决一切罗网、摆脱一切羁绊的决绝，一样有着义无反顾的勇气。

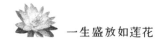

徐志摩深信理想的人生必须有爱、自由、美，他深信这种三位一体的人生是可以追求的，至少是可以用纯洁的心血培养出来的。因此，他的好友胡适说："他的人生观真是一种'单纯信仰'，这里面只有三个大字：一个是爱，一个是自由，一个是美。他梦想这三个理想的条件能够合在一个人生里，这是他的'单纯信仰'。他的一生的历史，只是他追求这个单纯信仰的实现的历史。"

其实，对徐志摩君来说，人生也许很简单，走自己想走的路，爱自己该爱的人，写自己想写的诗。简单而又执着，随和而又任性，如是而已。

面对徐志摩热烈率真的感情追求，林徽因最后冷静了下来。

对林徽因来说，徐志摩的率性洒脱、浪漫不羁的天性，是她所倾心的，可也是她无法把握的。她是从徐志摩笔下走出来的诗意女子。从他们相遇的那一刻开始，她就成了诗人梦想中的女神。徐志摩的热情让她着迷，可是她却无法用同样的热情去应和。她不知道，徐志摩的这种热情到底能维持多久。在底色沉重的人生现实面前，这种梦幻般的罗曼蒂克能长久的保持和生存下去吗？

蝴蝶是飘忽而美丽的，可是它能飞过那惊涛骇浪的沧海吗？

更何况，在他的身后，还有一个女人孤独的身影，幽怨的眼神。那是林徽因自小就再熟悉不过的眼神，让她想起了自己的生身母亲。这种联想瞬间刺痛了她的心。徐志摩逼着身怀有孕的张幼仪签字离婚那一瞬间，他那不管不顾、决然离婚的偏执、痴狂与轻率，让林徽因感到了几分惶惑和茫然。少年时代的家庭阴影就像一个梦魇，一直紧紧地追随着林徽因。她忘不了"家庭战争"，她知道如果自己接受徐志摩的爱情，离婚便会让张幼仪痛苦不堪，也让使自己内心负疚。这不是她想看到的结局。

十六七岁的林徽因在快要迷失的刹那间清醒过来，听从了理性的召唤。

转眼已经是秋天，风景渐渐现出几分萧索。徐志摩和林徽因慢慢地走在石板小路上，雾气渐渐地笼罩了四周。志摩看到这秋景非常感伤。

"徽徽，许我一个未来吧……"，他说。

林徽因没有说话，望着他的眼睛，那里似乎起了一层灰色的雾。她心动了一下："我只不过是天空里的一片云，我也不知道未来在哪里。"

徐志摩目光闪动了一下，抬头看了看天，几片浮云飘飘悠悠地走过。

1921 年 10 月 14 日，林徽因和父亲乘船离开伦敦回国。

阳光照在泰晤士河上，雾渐渐散去。轮船的声声汽笛催动人心。林徽因和父亲站在甲板上，不停地向站在岸上的朋友挥手，致意。他们即将踏上归国的旅途。此前，他们并没有告诉徐志摩要离开英伦。

想起伦敦教堂上空回响的钟声，那些抬头仰望过的云朵，那些康河里水波的粼粼投影，那白衣胜雪、轻笑如花的日子，都在身后慢慢消逝。

"人似秋鸿来有信，事如春梦了无痕。"林徽因知道，今生今世自己再

也回不去了，一切终将过去，一切终将改变。留居英伦的漫漫时光，凝结成一座永远也走不出的城堡，烙在她青春的记忆里，犹如一道午夜流星划过的痕迹。

林徽因此时的心情，就像她后来写的《情愿》：

我情愿化成一片落叶，

让风吹雨打到处飘零；

或流云一朵，在澄蓝天，

和大地再没有些牵连。

但抱紧那伤心的标志，

去触遇没着落的怅惘；

在黄昏，夜半，蹑着脚走，

全是空虚，再莫有温柔。

忘掉曾有这世界；有你；

哀悼谁又曾有过爱恋；

落花似的落尽，忘了去

这些个泪点里的情绪。

到那天一切都不存留，

比一闪光，一息风更少

痕迹，你也要忘掉了我

曾经在这世界里活过。

多少年后，某些莫名的伤感会在记忆河床上汹涌流过，时光会在记忆中划开一条河流。她的生命却会因此丰赡、饱满而深刻。

我不知道风

是在哪一个方向吹——

我是在梦中，

她的温存，我的迷醉。

我不知道风

是在哪一个方向吹——

我是在梦中，

甜美是梦里的光辉。

我不知道风

是在哪一个方向吹——

我是在梦中，

她的负心，我的伤悲。

我不知道风

是在哪一个方向吹——

我是在梦中，

在梦的悲哀里心碎！

    ——徐志摩：《我不知道风是在哪一个方向吹》

徐志摩在德国与张幼仪办理好离婚手续之后，就急忙赶回伦敦去找林徽因。不料，林家父女俩已经回国了！

守房人问清他就是徐志摩后，就将林徽因留下的一封信交给他。

信中林徽因写道："我走了，带着记忆如锦金，里面藏着我们的情，我们的谊，已经说出和还没有说出的所有的话走了。"她又说："上次您和幼仪去德国，我、爸爸、西滢兄在送别你们时，火车启动的那一瞬间。您和幼仪把头伸出窗外，在您的面孔旁边，她张着一双哀怨、绝望、祈求和嫉意的眼睛定定地望着我。我颤抖了。那目光直进我心灵的底蕴，那里藏着我的无人知晓的秘密。她全看见了。其实，在您陪着她来向我们辞行时，听说她要单身离你去德国，我就明白你们两人的关系起了变故。起因是什么我不明白，但

不会和我无关。"

徐志摩读完信颓然地坐在沙发里,心里一片空白。张幼仪离婚了,林徽因回国了,此时的徐志摩似乎一无所有了。他的心在思念、失望和希望间辗转难安。

"花非花,雾非雾,夜半来,天明去。"在梦里,她又回来了。

他甚至看得清楚她清灵柔美的眉眼,流转闪烁的眼波,如同落满桃花的一溪流水,灵动、清澈、明朗。那仿佛是他和她初次相识的情形,有着瞬间的心跳,微微的脸红。人生若只如初见,那份美丽定格在回忆中。也许哪天转身而去,留下一个美丽的远去背影,会诉说着对昨日的依恋。

前世的五百次回眸,才换来今生的擦肩而过。有的时候,刹那便是永恒。蓦然回首,苍老的是岁月,永不老却的是初见的明媚与温暖。

醒来,只见月光静静照在剑河水面,树林里薄霜满地,让他备觉伤感寂寞。各种强烈的、无处宣泄的意念燃烧着。不可遏制的诗情在他心底酝酿中爆发。

诗人徐志摩求之不得,辗转反侧,写下了一首《偶然》:

> 我是天空里的一片云,
>
> 偶尔投影在你的波心——
>
> 你不必讶异,

更无须欢喜——

在转瞬间消灭了踪影。

你我相逢在黑夜的海上，

你有你的，我有我的，方向；

你记得也好，

最好你忘掉，

在这交会时互放的光亮！

很久以后，林徽因写了一首《仍然》来回应此时的心情：

你舒伸得像一湖水向着晴空里，

白云，又像是一流冷涧，

澄清，

许我循着林岸穷究你的泉源：

我却仍然抱着百般的疑心，对你的每一个映影！

你展开像个千瓣的花朵！

鲜妍是你的每一瓣，更有芳沁，

那温存袭人的花气，

伴着晚凉：

我说花儿，

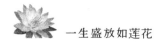

这正是春的捉弄人，

来偷取人们的痴情！

你又学叶叶的书篇随风吹展，

揭示你的每一个深思；每一角心境，

你的眼睛望着，我不断的在说话：

我却仍然没有回答，一片的沉静，

永远守住我的魂灵。

林徽因随父亲一回到中国，一回到那个熟悉的传统现实社会，那些在英伦曾经发生过的爱情故事变得恍同隔世，仿佛是发生在遥远地方的一个梦。

在这片古老土地上，传统的力量根系发达，异常强大。早在伦敦时，她与徐志摩的恋情就曾经遭到姑母们的强烈反对。两个姑母都很疼爱徽因，认为徽因是名门之女，与刚离婚的徐志摩结婚等于是做了填房，会有辱林家名声。而徐志摩的父母和家族中人又怎么能容忍林徽因插足别人的家庭？怎么能容忍这样的名节受辱？

林徽因最终还是选择了梁思成。有人如此评价林徽因的选择：她选择了一栋稳固的房子，而没有选择一首颠簸的诗。而林徽因仍与徐志摩保持着朋友般的关系。

林徽因回到了现实，志摩却不愿相信。为了继续追求林徽因，徐志摩于1922 年 9 月回国。他不敢相信的是，林徽因就要同梁启超的大公子梁思成结为秦晋之好。梁启超在给女儿的信中说，林徽因与梁思成的婚事"已有成言"。

虽然知道林徽因已与梁思成有了婚约，但他并不甘心，从内心一直没有放弃对林徽因的追求。梁启超是松坡图书馆的馆长，该馆在北海公园设有分馆快雪堂。快雪堂是一处幽静高雅院落，星期天不对外开放，梁思成因关系特殊备有钥匙可以自由出入，便约了林徽因来此相聚。徐志摩得知后竟然不识趣地常来打扰。忠厚如梁思成也不得不贴一张字条在门上："Lovers want to be left alone（情人想单独在一起，不愿受干扰）。"徐志摩如此受挫，只得怏怏而去。

只是，此时的林徽因不知作何想法。

也许知晓后会心有不忍，也许心有苦衷而不得已。对此时的她而言，窗外那些细碎的阳光穿越枝叶的缝隙倾泻下来，沾染了浓重的告别气息。那些曾经美丽过的旧时光，随着志摩孤独失意的背影已经渐行渐远。曾经的青春记忆在这个午后沉寂成一片流年细碎的光影，如一曲凄迷的乐章。

"对不起，志摩，真的很对不起。"她在内心喃喃地这样说道，眼角沁出了一星泪水。

"怎么了，徽因？"耳畔是思成关切的声音。

她慌忙摇摇头，瞬间打理了一下纷乱的心情。然后沉默。

对她而言，这也许只是生命过程中一个优雅沉静的转身。对志摩而言，却

是一份求之不得、辗转反侧的深深失落之苦。林徽因的这一份清醒看似残忍，却是明智的，对人对己都是负责任的。林徽因决意珍藏起这份青春浪漫的情感，在岁月的回望中将永远报以深情的凝望。

那是她的生命中曾经路过的风景。英伦康桥边的相遇，已经成为了永恒。流年似水，繁花三千，没有谁是谁的永远。时光匆匆，大家已经回不到过去。也许曾经一见倾心，但是再见之时，也许会是伤心之时。若是如此，不如初见时的那份感觉。

那些朝夕相伴的温暖，那些携手走过的时光，不知不觉，已经从流年的缝隙悄然滑落。回望时，依稀只有那记忆中的两弯新眉，几度凝眸……

对此，林徽因的好友费慰梅曾经描述过："她是被徐志摩的性格、他的追求和他对她的热烈情感所迷住了……对他打开她的眼界和唤起她新的向往充满感激。徐志摩对她的热情并没有引起同等的反应。她闯进他的生活是一项重大的冒险。但这并没有引得她脱离她家里为她选择的未来的道路。"

林徽因晚年也曾经对儿子梁从诫这样说："徐志摩当时爱的并不是真正的我，而是他用诗人的浪漫情绪想象出来的林徽因，可我其实并不是他心目中所想的那样一个人。"

是的，那个诗歌中美丽的少女林徽因，不过是这个浪漫诗人对自己理想爱情的一种投射，一个幻象。早熟的林徽因看清了这一点，并明智地做出了选择。

上世纪 20 年代初，北京城的文化活动非常活跃。1922 年秋，徐志摩的诗歌公开在各种杂志上发表。《志摩的诗》是徐志摩自己编选出版的第一个诗集。这个诗集的出版使从欧洲归来的徐志摩名声大振，在大学生中崇拜甚众。

那天，徐志摩应邀到清华高等科的小礼堂里做讲演。礼堂里黑压压地挤满了二三百人，都是慕名而来的听众。还有许多人专程来看看这位海外归来讲演者的风神外貌。此时的徐志摩穿着一件绸子夹袍，上身套着一件小背心，缀着几颗闪闪发光的钮扣，脚上是一双黑缎皂鞋。那儒雅温润的气质风度立刻倾倒了听众。

主持讲演的梁实秋，刚刚介绍完徐志摩的情况，小礼堂里便爆发出一阵热烈的掌声。徐志摩从怀里取出一卷稿纸，清了清嗓音说："今天我要讲的是'ART AND LIFE'，我要按照牛津的方式，宣读我的讲稿。"

这时，他抬起头来，望了一下那一片黑压压的人群。突然，他的目光在前排的座位上，碰撞上了那双清澈明亮的眼睛。是她？

原来林徽因不动声色地坐在第四排中间的位置上。徐志摩的思绪被打乱了。

他的眼睛仿佛闪烁出一片灼人的光芒，喉咙仿佛被人扼住。足足两分钟，一个字也没有讲出来。他想努力镇定一下，可是心跳已失去了正常律动，他不知道是怎样读下去的，流利的英文骤然变得生涩了，结结巴巴，有时不得不停下来喘口气。他的额头上也沁出了汗珠。听众席上响起乒乒乓乓搬椅子的声音，

后排开始有人不耐烦地退场了。

讲演结束之后，徐志摩还痴痴地站在讲台上。他的目光落在第四排林徽因坐过的位子上，仿佛还能看到她刚才坐在这里凝神静听的样子。

1924 年 4 月，北京迎来了获得诺贝尔文学奖的印度诗哲泰戈尔。

泰戈尔是梁启超、蔡元培以北京讲学社的名义邀请来华访问的。讲学社委托徐志摩负责泰戈尔访华期间的接待和陪同，并担任翻译；王统照负责泰戈尔在各地演讲的记录和编辑。新月社成员用英语赶排了泰戈尔的诗剧《齐德拉》。

4 月 23 日，在震耳欲聋的爆竹声中，泰戈尔乘坐的火车抵达北京前门车站。梁启超、蔡元培、胡适、梁漱溟、辜鸿铭、熊希龄、蒋梦麟等前往车站迎接。泰戈尔在北京的时间里，日程安排得很满。他出席了社会各界的欢迎会和座谈会，到北大、清华、燕京等几所大学作了演讲，拜会了末代皇帝溥仪。徐志摩、林徽因始终伴随在泰戈尔身边参加了所有这些活动。

在日坛草坪讲演，林徽因与徐志摩一起负责接待担任翻译等工作。吴咏的《天坛史话》中有生动描写："林小姐人艳如花，和老诗人挟臂而行，加上长袍白面，郊寒岛瘦的徐志摩，有如苍松竹梅的一幅三友图。徐志摩的翻译，用了中国语汇中最美的修辞，以硖石官话出之，便是一首首的小诗，飞瀑流泉，淙淙可听。"国内大小报纸刊登了林徽因、徐志摩、泰戈尔的照片，形容他们好比"岁寒三友"：林徽因如一枝梅花是"梅"，徐志摩清瘦如"竹"，留着长髯、穿着长袍的泰戈尔是"松"。林徽因的纯情美貌,徐志摩的翩翩风度,与泰戈尔老人相映生辉,一时成为京城美谈。

当年 5 月 8 日,新月社为了庆贺泰戈尔 64 岁生日,在北京协和大礼堂举行生日晚宴。胡适作会议主席,北京数百位社会贤达和各界名流出席了宴会。送给泰戈尔的寿礼是十几名画和一件古瓷。使泰戈尔最高兴的是他获得了一个中国名字。

命名仪式由梁启超亲自主持。他说,泰戈尔先生的名字,拉宾德拉的意思,是"太阳"与"雷",如日之升,如雷之震,所以中文应当译为"震旦"。而"震旦"恰恰又是古代印度称呼中国的名字 Cheenastnana,音译应为"震旦",意译应为"泰士"。泰戈尔先生中文名字"震旦"象征着中印文化永久结合。梁启超又说,按照中国人的习惯,名字应该有姓,印度国名天竺。泰戈尔当以国名为姓,全称为"竺震旦"。徐志摩神采飞扬地把梁启超的话翻译给泰戈尔。泰戈尔激动地离席起立,双手合十,全场爆发出热烈的掌声。

掌声中,梁启超把一方鸡血石的印章献给泰戈尔,印章上用正宗金文镌刻着泰戈尔的中国名字"竺震旦",泰戈尔把那方珍贵的鸡血石印章捧在胸前说:"今天我获得了一个名字,也获得了一次新的生命,而这一切都来自一个东方古国,我倍加珍惜。"

祝寿会的压轴戏,是观看新月社用英语演出泰戈尔的《摩诃德婆罗多》改编的抒情诗剧《齐德拉》。剧情是:马尼浦王齐德拉瓦哈那唯的独生女儿齐德拉相貌丑陋,自小受到王子般的训练,并被立为王储。后来成为平定盗贼的女英

雄。一天，齐德拉在山中行猎时，遇到了邻国王子阿俊那，并对他一见钟情。齐德拉生平第一次对自己的相貌感到不满意。于是，她向爱神祈求赐予她美貌和温柔，即使只有一天也好。爱神为她的真诚所感动，答应给予她一年时间的美貌。丑陋的齐德拉摇身一变而为绝世美人，赢得了王子的爱。可不久，齐德拉开始恨自己的美貌，因为王子的爱只是被这借来的外表所占有，而自己的灵魂依旧被冷落，依旧在渴望。于是齐德拉再一次祈求爱神，收回给她的美貌。齐德拉恢复了本来的面目。而阿俊那面对敬慕至极的女英雄齐德拉，更是感叹生命的圆满。

　　林徽音、张歆海和志摩分别在剧中扮演奇特拉、阿顺那和爱神玛达那。林长民饰春神伐森塔，梁思成担任舞台布景设计。幕布拉开了，新式布景叫观众眼睛发亮。丛林上空悬一弯晶莹新月，月下古装少女齐德拉公主仰头恋望新月的姿态造型曼妙动人。雕塑般地呈示出演出团体——新月社。印度朋友称赞林徽因英语台词十分流利，那几天报纸连篇累牍的文章盛赞这场演出。五月十日北平《晨报副刊》说："林宗孟（按，即林长民）君头发半白还有登台演剧的兴趣和勇气，真算难得。父女合演，空前美谈。第五幕爱神与春神谐谈，林徐的滑稽神态，有独到之处。林女士徽音，态度音吐，并极佳妙。"此景十多年后仍有人记忆犹新，赞叹林徽因一口流利的英语清脆柔媚，真像一个外国好女儿。

　　由于剧情浪漫，台词华丽优美，演员们倾情演出，演出激情澎湃，所以演出赢得了大家经久不息的掌声。那天的演出真是盛况空前，文化界许多名流应邀前来观看演出，包括与新月社见解分歧很大的鲁迅。演出结束后，泰戈尔走上舞台。他身穿朴素的灰色印度布袍，雪白的头发，雪白的胡须，深深的眼睛一扫连日的倦意。他慈爱地拥着林徽因的肩膀赞美道："马尼浦王的女儿，你的美丽和智慧不是借来的。是爱神早已给你的馈赠，不只是让你拥有一天、一年，而是伴随你终生，你因此而放射出光辉。"

《齐德拉》的演出把祝寿宴会的气氛推向了高潮，这让林徽因与徐志摩成为了公众的焦点。舞台上美目流波、两情依依，是那样默契、和谐，让徐志摩仿佛又找回了在康桥时候的美好感觉，以至于连不懂英文的梁启超都看出了端倪。更不用说梁思成了。

访问期间，林徽因一直不离泰戈尔左右，使他的中国之行魅力大增。林徽因、徐志摩一左一右，相伴泰戈尔的大幅照片，登在了当天的许多家报纸上，京城一时"洛阳纸贵"。临别时，泰戈尔为林徽因做了一首诗以为留念：

　　天空的蔚蓝

　　爱上了大地的碧绿

　　他们之间的微风叹了声："哎！"

公主般的林徽因在梁思成和徐志摩之间究竟选择哪一个，在当时大概也是一些人茶余饭后的绝佳谈资，也是小报花边新闻所热衷的话题。

陪伴泰戈尔的这段日子，浪漫气质的徐志摩对林徽因的爱恋益发地欲罢不

能。他寻找种种场合表达自己的爱意，可是林徽因都装作不知。徐志摩将自己的心事告诉给泰戈尔，并让白发苍苍的老诗人为自己求情。泰戈尔和蔼而委婉地询问林徽因之后，遗憾地摇摇头，转告徐志摩："不可能"。

据说，泰戈尔的上面这首诗就是从这件事得到的灵感。这一声"哎！"的叹息为两人划下了句点。

5 月 17 日，林徽因与徐志摩相约见面。这次相见，林徽因明确了自己的心意，告诉他自己即将和梁思成前往美国留学。

访京活动结束，胡适、徐志摩等要陪同泰戈尔乘火车离开北京前往太原，然后赴香港经日本回国。站台上熙熙攘攘全是送别的人群。林徽因、梁思成和许多人一起到车站送行。徐志摩望着车窗外前来送别的林徽因，心头百感交集。这一次的离别将是真正的离别。在接待泰戈尔的这些天里，他有许多机会和徽因在一起。他们筹办各种活动，出席各种集会，一同排练，一同演出。分别在即，他才强烈地意识到自己仍深爱着徽因。

他向窗外望去，人们在一声声道着珍重，林徽因的身影和笑容近在咫尺，又远在天涯。仿佛就象那《诗经》里在水一方的女子，"所谓伊人，在水一方"，可望而不可即。徐志摩知道，林徽因将要和梁思成双宿双飞去美国留学。此时一别就会是天各一方，未来几年间或许难有一见。他只觉得五内俱焚，直到胡适一声低低的呼唤："志摩，你怎么哭了？"他才意识到自己早已泪流满面。

那首人人皆知的泰戈尔的诗，此时仿佛专为志摩而写：

"世界上最遥远的距离，不是生与死的距离，不是天各一方，而是我站在你面前，你却不知道我爱你。"

不久后，徐志摩发表了一首新诗：

听我悲哽的声音，祈求于我爱的神：

人间哪一个的身上，不带些儿创与伤！

哪有高洁的灵魂，不经地狱，便登天堂：

我是肉搏过刀山炮烙，闯度了奈何桥，

方有今日这颗赤裸裸的心，自由高傲！

这颗赤裸裸的心，请收了吧，我的爱神！

因为除了你更无人，给他温慰与生命，

否则，你就将他磨成齑粉，散入西天云，

但他精诚的颜色，却永远点染你春朝的

新思，秋夜的梦境，怜悯吧，我的爱神！

——徐志摩《一个祈求》

男人常常会忘掉让他笑过的女人，却会把让他哭过的女人铭记一生。

美人如花，静坐在云端之上。明月般向他微笑，却不许他一个圆满的未来。

当往事成为时光遗漏的风景，当斑驳爬满流年的青苔，一切都已经与现在无关。情似朝露，聚散无因。在英伦康桥彼此一见倾心，却又在时光的旅程中令人痛惜地错过。于是彼此只是人生中一场极其偶然的路遇。

遇见过，爱恋过，已是老天眷顾。既然不能奢求太多，那就不如相忘于江湖吧。学会放手与转身，有时是人生的一种转机。现在，他唯一能做的就是等待光阴的沙漏，层层覆盖生命记忆的刻痕。

此情可待成追忆，只是当时已惘然。

也许正是在接待泰戈尔演出《齐德拉》过程中，梁启超意识到徐志摩对林徽因还存有幻想，他和亲家林长民共同商量，让梁思成和林徽因赴美国留学，共同学习建筑专业。

在林徽因与梁思成美国留学期间，徐志摩在新月社的活动中，徐志摩结识京师名媛、有夫之妇陆小曼。两人很快坠入爱河。陆小曼是军中才俊王庚的妻子，容貌美丽，喜欢交际，对徐志摩的才情很是倾慕。而徐志摩也为她的风情所迷倒。陆小曼在 16 岁时就被父亲送到了法国圣心女子学堂去读书，学习书法、舞蹈、钢琴、绘画等。由于她的天资聪慧和勤奋好学，很快就能得心应手地运用法语和英语了。同时，她的绘画天分也在这时显露出来，她主攻静物写生和风景临摹，先后拜了刘海粟、陈半丁、贺天健为师。在老师的严格培养下，陆小曼的画技渐渐纯熟，得到了许多名人的推崇和赞扬。在戏剧方面，当时也有"南唐英，北小曼"的说法，她自己不仅熟谙昆曲、京剧，还是有名的花旦。

陆小曼生得粉雕玉琢、清眉朗目。在徐志摩看来，陆小曼才艺双绝，正是意中绝佳的伴侣。她的出现就像是一道彩虹，在一场雷雨过后，绚烂地升起在他年轻的生命天空。

两人经历一番曲折后，于 1926 年 10 月在北京结婚。他们请恩师梁启超做证婚人。梁启超本来就不赞成徐志摩离婚，对他拆散朋友家庭的做法更不认同。所以他不愿意做这个证婚人。无奈有胡适再三劝说，最后也只好勉为其难。

徐志摩没有想到，梁启超在婚礼上对他和陆小曼二人大加训斥。他说："徐志摩，你这个人性情浮躁，所以在学问方面没有成就。你这个人用情不专，以致离婚再娶。以后务要痛改前非，从新做人！"

"徐志摩、陆小曼，你们听着！你们都是离过婚，又重新结婚的，都是过来人！这全是由于用情不专。以后要痛自悔悟，希望你们不要再一次成为过来人。我作为你徐志摩的先生——假如你还认我为先生的话——又作为今天这场婚礼的证婚人。我送你们一句话，祝你们这是最后一次结婚！"

徐志摩此时已是面红耳赤。他原本执意让恩师做证婚人，是想让恩师能理解自己，进而原谅自己。此时才知道老师对自己已是满腹怨意，心里十分难受。而陆小曼则更是意想不到会出现这一幕。这突如其来的一顿训斥让她快要崩溃了。后来，经过多人劝说，恨铁不成钢的梁启超方才作罢。

事实上，梁启超后来在给远在宾夕法利亚大学读书的梁思成信中讲述了这些事情。善于识人的他认定徐志摩将毁于这桩婚姻。

　　和陆小曼历尽艰难地结合在一起，天性浪漫的徐志摩称自己"成了精神上的大富翁"。他以为终于找到了"唯一灵魂之伴侣"，于是在上海租了一处豪华寓所，过起"金屋藏娇"的幸福生活。然而好景不长，他们曼妙爱情曲很快就奏出了不谐之音。

　　陆小曼虽然在相貌和才情方面并不逊于林徽因，但性格却截然不同。林徽因尊重社会传统和道德规范，而陆小曼是个真正的离经叛道者，独立不羁，只求个人快乐，向往奢侈生活，不知责任为何物。与徐志摩结婚后，她沉溺于社交和鸦片，热衷于大上海的夜生活，经常出入夜总会，玩到天亮才回家。她还预订了一些娱乐场所的座席，常到"一品香"、"大西洋"等地方吃大菜、票戏，甚至去逛赌场，一掷千金。徐志摩一味迁就她。虽然在口头上常常婉转地告诫陆小曼，但没有什么效果。他寄往上海的信中，几乎每一封都在谈钱，谈挣钱的不易，恳请陆小曼稍事节俭。

　　徐志摩的父亲徐申如出于对陆小曼极度不满，在经济上与他们夫妇一刀两断。徐志摩要从父亲处拿钱是不现实的，因此，他不得不同时在光华大学、东吴大学、大夏大学三所学校讲课，课余还赶写诗文，以赚取稿费。仅1931年的上半年，徐志摩就在上海、北京两地来回奔波了八次。当时，人均的年薪为五块大洋，而徐志摩一年即可挣到几百大洋。即便如此，仍然满足不了家庭的花销，以致负债累累。更有甚者，陆小曼为了治病，还找来一位叫翁瑞午的世家子弟替自己推拿。而且她又从翁端午那里学会了抽鸦片烟。

　　徐志摩在受胡适之请去北大做教授之后，苦苦恳求陆小曼同往北京。然而，陆小曼不愿放弃上海那个"销蚀筋骨，一无好处的颓废的窝巢"，执意不从。其实，此时的陆小曼已经与翁端午堕入情网，难舍难分。

陆小曼的移情和堕落，终于使一向迁就的徐志摩忍无可忍，家庭关系越发恶化。徐志摩为此苦恼不堪，以至他公开承认他当初对理想的追求遭到了失败。或许，此时的他对恩师在婚礼上的训斥有所醒悟。

此时的徐志摩已在婚姻的围城中痛苦不堪。但是另一方面，徐志摩并没有彻底失去林徽因。林徽因留学归来以后，徐志摩常常是林徽因家中的常客。此后，两人一直保持着来往：林徽因去清华大学文学社听徐志摩的讲演、邀请徐志摩同游香山，两人一起筹备新月社、编辑出版新派诗集，两人互相关心和理解，尤其在文学上更是经常切磋。这些活动给了徐志摩心灵上的慰籍。在这一时期，徐志摩创作了许多的诗歌作品。据后来许多评论家说，徐志摩这一时期的诗歌是他一生中最成熟的作品。

为添补陆小曼的巨大开销，徐志摩又不得不多处兼职，经常从北平至上海两处奔波。加上与陆小曼婚姻的不谐，以至到了最后徐志摩完全陷入情感及经济的困顿之中。疲于谋生糊口、忙于各地奔波的他再也无力做诗。他的诗情逐渐枯涸了。

"行到水穷处，坐看云起时。"在这个物欲纷扰的红尘里，还有谁能放下一切俗累，抱朴归真，倾心于诗情画意？

我是天空里的一片云

偶尔投影在你的波心

你不必讶异

更无须欢喜

在转瞬间消灭了踪影

——徐志摩《偶然》

1931 年 11 月 19 日，林徽因将在北平协和小礼堂为驻华使节讲中国古代建筑学术报告。徐志摩接到林徽因的邀请后，十分高兴地答应出席。他已没有奢望，只愿与她在红尘中再一次重逢。

为出席报告会，他乘坐飞机由南京乘前往北平，因遇大雾迷航在济南附近党家庄开山失事。飞机坠入山谷，机身起火，机上人员全部遇难。徐志摩时年仅三十五岁。

原本，他带着悠悠的思念，飞越千山万水，只为在一转身的瞬间与她再次相遇。可是，他注定是那只飞不过沧海的蝴蝶，途中就折断了梦想的羽翼。一代诗国逸才飞上了天空，乘风远游。他的生命化作了天边那梦幻般的绚烂彩虹。

很快，《晨报》号外登载了消息：

【济南二十日五时四十分本报专电】

京平航空驻济办事所主任朱凤藻，二十日早派机械员白相臣赴党家庄开山，将遇难者飞机师王贯一、机械员梁壁堂、乘客徐志摩三人尸体洗净，运至党家庄，函省府拨车一辆运济，以便入棺后运平，至烧毁飞机为济南号，即由党家庄运京。徐为中国著名文学家，其友人胡适由北平来电托教育厅长何思源代办善后，但何在京出席四全会未回。

听到这个噩耗，许多人震惊不已。徐志摩在北京的朋友感到突兀，残酷，不相信象他这样热情活泼的一个人会突然遇险而死去。20日下午，初得到消息的许多朋友全跑到胡适之先生家里。除去拭泪相对、默然围坐外，谁也没有主意，谁也不知有什么话说。大家很悲痛。

这一刻，人们都想起了志摩生前的那首诗："悄悄的我走了，正如我悄悄的来；我挥一挥衣袖，不带走一片云彩。"这首美丽的《再别康桥》竟成了一句谶

语，不幸而言中！胡适说：其实，志摩本身就是一片云彩。他是一片最可爱的云彩，永远是温暖的颜色，永远是美的花样，永远是可爱。这片云彩被狂风吹走了，在我们精神世界的波心中却永远留下了它的投影。

在这些众多的朋友当中，最悲痛的人要数林徽因。

徐志摩这次罹难，也是为了赶赴林徽因的一次讲座，怎不让她心痛？！当天在协和小礼堂作演讲的林徽因，曾几次将热盼的目光投向门口，可她盼望的身影就是没有出现。第二天当望穿秋水的林徽因得到徐志摩遇难的消息后，悲痛欲绝得昏倒在地上。醒来后，感到像一根针刺触到心上，天是墨一般地昏黑，哀恸的咽哽锁住了她的嗓子，许久没有话说。

林徽因比任何人都了解徐志摩。她与徐志摩自 1920 年 10 月相遇相识时，正值十六岁豆蔻年华，初尝恋爱的青涩滋味。此后，她更是被徐志摩的卓越才华和浪漫气质深深吸引。每当在生活、学习、工作和情感上有些苦恼时候，林徽因就会想到徐志摩，向他倾诉，与他交心。即使是与梁思成一起在美国留学，他们也常有书信来往。特别是 1930 年林徽因开始患肺结核，从沈阳回到北京，疗养在香山双清别墅，香山遂成为徐志摩经常探望之地。在那儿，徐志摩鼓励她写诗，并帮助她将那些诗投至刊物上发表，给了病中她以温暖和慰藉。而且，徐志摩自己创作的许多诗都是写给林徽因的，或者是反映他俩情感的。而林徽因也是心有灵犀，作了许多回应诗。

早在 1925 年，徐志摩写有一篇散文《迎上前去》，其中有几句没有题目的诗，有一句是这样的："我甘心，甘心在火焰里存身"。这首诗和那首《再别康桥》前后印证，确实映射出了某种神奇神秘的，不可捉摸的，不可改变的宿命的味道。

如果徐志摩不去北京，不坐飞机，也就不会逝世了。那么他的人生将会演绎成什么样的人生？

半个月以后，林徽因蘸满泪水给《北平晨报》写了一篇近五千字的文章——《悼志摩》。在这篇文章中，林徽因详尽地介绍了他俩认识的过程，诗人之外的志摩的兴趣和人格魅力，以及失去他的悲痛："突然的，他闯出我们这共同的世界，沉入永远的静寂，不给我们一点预告，一点准备，或是一个最后希望的余地。这种几乎近于忍心的决绝，那一天不知震麻了多少朋友的心。现在那不能否认的事实，仍然无情地挡住我们前面。任凭我们多苦楚的哀悼他的惨死，多迫切的希冀能够仍然接触到他原来的音容，事实是不会为体贴我们这悲念而有些须更改；而他也再不会为不忍我们这伤悼而有些须活动的可能！这难堪的永远静寂和消沉便是死的最残酷处。"

她还这样深情地写到：他这样的温和，这样的优容，真能使许多人惭愧，我可以忠实地说，至少他要比我们多数的人伟大许多，她说："志摩的最动人的特点，是他那不可信的纯净的天真，对他的理想的愚诚，对艺术欣赏的认真，体会情感的切实，全是难能可贵到极点。他站在雨中等虹，他甘冒社会的大不韪争他的恋爱自由；他坐曲折的火车到乡间去拜哈岱，他抛弃博士一类的引诱卷了书包到英国，只为要拜罗素做老师，他为了一种特异的境遇，一时特异的

感动，从此在生命途中冒险，从此抛弃所有的旧业，只是尝试写几行新诗——这几年新诗尝试的运命并不太令人踊跃，冷嘲热骂只是家常便饭——他常能走几里路去采几茎花，费许多周折去看一个朋友说两句话；这些，还有许多，都不是我们寻常能够轻易了解的神秘。我说神秘，其实竟许是傻，是痴！"

这真是：知志摩者，徽因也！

此后在给胡适的信中，林徽因剖析了自己跟徐志摩之间纯真的友情，对他们之间曾有的那场恋爱，她说自己并没有觉得可羞惭，反而给了她不少人格上、知识上、磨练修养的帮助。林徽因毫不隐讳地说"这几天思念他得很，但是他如果活着恐怕我待他仍不能改变。也许那就是我不够爱他的缘故。也就是我爱我现在的家在一切之上的确证，志摩也承认过这话"。

不仅如此，在徐志摩死后，梁思成一行去济南为徐志摩送行，带去了林徽因亲手制作的希腊式铁树叶小花圈，碧绿的树叶和洁白的花朵，浸透了林徽因的泪水。返回北京时，林徽因委托丈夫梁思成从出事地点捡了带回了一片失事飞机的残骸。林徽因把这片残骸用一大块白绫包扎起来，把它挂在卧室的墙上，一直陪伴她去世。

1934 年 11 月，林徽因与梁思成外出考察古建筑，列车夜间路过浙江海宁小镇硖石。列车员喊一声："硖石！硖石到了！"睡得正香的林徽因被"硖石"两个字唤醒，硖石？志摩的硖石？！眼前就是徐志摩的家乡浙江硖石。只见清冷的月光洒在小站台上，四周一片静谧。触境伤情，林徽因再一次陷入了感情的撞击之中不能自已。这一天正是志摩遇难三周年忌日。和着泪花和火车的轰鸣，她把不可名状的思绪倾泻到纸上。这就是那首《别丢掉》：

> 别丢掉，这一把过往的热情，
>
> 现在流水似的，轻轻
>
> 在幽冷的山泉底，
>
> 在黑夜 在松林，
>
> 叹息似的渺茫，
>
> 你仍要保存着那真！
>
> 一样是月明，
>
> 一样是隔山灯火，
>
> 满天的星，
>
> 只使人不见，梦似的挂起，
>
> 你问黑夜要回
>
> 那一句话——你仍得相信
>
> 山谷中留着
>
> 有那回音！

诗末"回音"二字，可说是"徽因"的谐音，表达了她内心深深的思念。人生若只如初见，所有往事都化为红尘一笑，忘却曾经有过的那些伤痛和无奈，

只留下初见时的惊艳、倾情。而岁月的记忆如一扇窗。读懂了青春走过的诗行，阳光也许会驱散荒凉。她却站在记忆的窗前弯腰捡起了忧伤。

有些故事，或许一辈子都不可能遗忘。

在徐志摩逝世四周年的时候，林徽因又写下了《纪念志摩去世四周年》的散文发表在《大公报》上。文中热情肯定了徐志摩的诗歌成就，赞扬了他的一生处处充满诗意，爱、自由和美是诗人的灵魂，对世界的真诚、对朋友的真诚、对诗歌的真诚是诗人的品格。她为诗人死后受到的不公正而鸣不平，呼唤良知和友爱。她献给徐志摩的不仅仅是一篇悼文，而是"一颗种子在石缝里砰然绽苞的声音，是灵魂被锯着的诗人的歌哭"。林徽因还与朋友们一道要为徐志摩设立一个"志摩奖金"来继续他鼓励后人努力诗文的素志，激励文艺创造拥护的热心，使不及认识志摩的青年人永远对他保存着亲热。

林徽因在这篇悼文中还说：虽然志摩脱离去我们这共同活动的世界四年了，他"仍立在我们烟涛渺茫的背景里，间接的是一种力量，尤其是在文艺创造的努力和信仰方面。间接的你任凭自然的音韵，颜色，不时的风轻月白，人的无定律的一切情感，悠断悠续的仍然在我们中间继续着生，仍然与我们共同交织着这生的纠纷，继续着生的理想。你并不离我们太远。你的身影永远挂在这里那里，同你生前一样的心旋转。"

"世间无限丹青手，一片伤心画不成。"此刻，她的笔尖沾满了阳光的味道，轻轻唤他，志摩。你可知晓此刻我的真心？

她倚在流年的灯影里，静静眺望那渐行渐远的旧时光。

剑河那悠悠的桨声里，远远飘来淡淡的花香。心湖里投影着天光云影，月光皎洁如梦。她眉尖轻蹙，忧伤如烟雨般轻轻袭来，久久驱之不散。

张幼仪自传中说到，身患重病的林徽因曾经在 1947 年要求见她一面。她回忆说："一个朋友来对我说，林徽因在医院里，刚熬过肺结核大手术，大概活不久了。连她丈夫梁思成也从他正教书的耶鲁大学被叫了回来。做啥林徽因要见我？我要带着阿欢和孙辈去。她虚弱得不能说话，只看着我们，头摆来摆去，好像打量我，我不晓得她想看什么。大概是我不好看，也绷着脸……我想，她此刻要见我一面，是因为她爱徐志摩，也想看一眼他的孩子。"

是的，徐志摩永远活在她的心中。她知道，诗人徐志摩是感动过她，并值得自己去感动的人。

台湾女诗人席慕蓉说："记忆是无花的蔷薇，永远不会败落。"年少时，最初的感动和梦想，曾经在流光中渐渐远去；当年那剑河边一见如故的亲切，相伴而行的心动，娓娓深谈的相知，如今只在记忆剩下一个依稀的背影。

人生若只如初见。猜得中绚烂的开始，谁又能预料那云端之上陡然跌落的蝴蝶迷梦？又有谁能见到泪花迷离的结局？

其实，半个多世纪过去，我们今天虽然觉得徐志摩以三十五岁年华而"云游"不返是个悲剧，但诗人的才情也许因这种悲剧性的流星般闪现而益显其光

耀：普希金死于维护爱情尊严的决斗，雪莱死于大海的拥抱，拜伦以英国公民的身份而成为希腊的民族英雄，在一场大雷雨中结束了生命……

徐志摩的一生尽管有过激烈的冲动，爱情的焦躁与渴望，内心也不乏风暴的来袭。但他也只是这么悄悄地来了、又悄悄地去了，洒脱地挥挥手，不带走一片云彩，却给人们留下了恒久的思念。

徐志摩在天有灵，或者临死那一刹那有意识的话，他肯定是微笑着的，因为他居然是听从心中爱人的招唤、为他所爱的人而死去了，这也许是他一直想做而没做成的事。他知道这是一种宿命！林徽因如彩虹，引导了这个自信其实又深深自卑着的诗人，让他幻化成一片自由而浪漫的云彩。徐志摩知道，他死了必会永恒，那他对林徽因的爱也将永恒了。

这样想来，志摩君也许就可微笑着挥一挥衣袖，作别西天的云彩，安然迈步远行。

我们这样说是有根据的：到了徐志摩生命的最后一年，一九三一年的《诗刊》创刊号上，他发表《爱的灵感》，那里的诗句更加让人惊怵。那仿佛竟是这位诗人对世间的诀别之辞：

现在我

真正可以死了，我要你

这样抱着我直到我去，

直到我的眼再不睁开，

直到我飞，飞，飞去太空，

散成沙，散成光，散成风，

呵苦痛，但苦痛是短的，

是暂时的；快乐是长的，

爱是不死的：

我，我要睡……

他的最后一个集子以《云游》命名。而且《云游》是一首诗的名字，他仿佛预言了自己即将到来的宿命和生命的大逍遥：

"那天你翩翩的在空际云游，

自在，轻盈，你本不想停留，

在天的那方或地的那角，

你的愉快是无拦阻的逍遥。"

几个月后，因了林徽因的招唤，他登机云游，一去永远不归。

有人说，徐志摩最好的一首诗是他的人生，是他那比诗歌还诗意的人生。他说过一句既诗情又悲情的话："我将于茫茫人海中访我唯一灵魂伴侣，得之，我幸；不得，我命。"而他的唯一灵魂伴侣，就是林徽因。

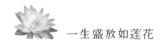

　　林徽因对徐志摩人生的影响是很大的。因为英伦康桥那一场恋爱，使原本学习经济学、有志于经商从政的徐志摩变成了一个中国现代诗人；又因为林徽因拒绝了与徐志摩的求婚，以及后来的一些活动，造成了徐志摩一生的感情迷失。

　　虽然徐志摩只活了三十五岁，但在他如萤火般短暂的创作社生涯中，留下了四部诗集、六部散文集、一部小说集和一部戏剧，还有集外诗 60 余首，集外译诗 40 余首，散文 30 余篇。他留下来的近一百多篇诗作，大部分都是情爱题材的，而其中很多又是写林徽因的。他留给中国现代文学史具有开创意义的新诗文本，以及无穷尽的文学意义，被人们誉为中国的"济慈"。这其中，就有林徽因的功劳。1931 年夏天，徐志摩在《猛虎集序》中坦言，他在二十四岁以前，与诗"完全没有相干"。是在"整十年前"由于"吹着了一阵奇异的风"，照着了"奇异的月色"，他这才"倾向于分行的抒写"，而且"一份深刻的忧郁"占定了他，渐渐潜化了他的气质，而终于成就了他这位诗人。徐志摩这里所说的"整十年前"，当指 1921 年，正是在这一年，他在伦敦结识了林长民及其女林徽因，他的新诗创作，也从这一年起步。

　　"只因感君一回顾，使我思君朝与暮。"徐志摩和林徽因第一次见面是偶然的，就像"偶尔交汇的两片云"。那时的林徽因只是个巧笑嫣然、翩若惊鸿的十六岁少女。从他们相遇的那一刻开始，她就成为诗人无数次理想诗化的女子，一个脱离了现实只存在梦幻之中的女神。

　　徐志摩恋上了她，为她写作无数动人心弦的情诗，甘做她裙边的一株草。

他却没有做到像他的诗里那样洒脱，他一辈子也不曾真正忘掉林徽因。青春风华不过是一指流砂，曾经相守是一段过往的年华。青春会老去，永远不老的是心中的爱与温暖。

爱一个人究竟能走多远？是天长地久还是曾经拥有？在对的时间遇到了对的人是一种幸福。而相遇时早已过了爱的花季。爱上便注定会有忧伤。

那就将心开成一朵莲花，爱永恒，情久远，岁月已然静好。

09 | 纠缠

人生如同一场华丽盛大的假面舞会。当一支舞曲终了时，就总会有人撤下面具悄然离场。而留在舞会上的人们仍然扮演着命运设定的角色，在新的舞曲响起时继续下去。徐志摩就是那个最先离场的人。

徐志摩的猝然遇难，让缠绵在烟榻上的陆小曼如梦初醒。就在1931年11月上旬，陆小曼连续打电报催徐志摩回沪。11月11日，徐志摩搭乘张学良的专机飞抵南京，13日回到上海家中。不料，夫妇俩一见面就吵了起来。11月17日，徐志摩晚上和几个朋友在家中聊天。陆小曼依然很晚才回家，而且喝得醉眼朦胧。徐志摩见此窝了一肚子火，但当着朋友的面又不便发作。第二天，徐志摩好心劝导陆小曼，陆小曼却恶语相伤。据郁达夫回忆说："当时陆小曼听不进劝，大发脾气，随手把烟枪往徐志摩脸上掷去。志摩连忙躲开，幸未击中，金丝眼镜掉在地上，玻璃碎了。"徐志摩一怒之下，负气出走。正是这一出走的两天后，就发生了空难。从此他再也回不来了。

据陆小曼回忆，徐志摩坠机的那天中午，悬挂在家中客堂的一个镶有徐志摩照片的镜框突然掉了下来，相架跌坏，玻璃碎片散落在徐志摩的照片上。陆小曼预感到这是不祥之兆，嘴上不说，心却跳得厉害。第二天一早，南京航空公司的保君健就跑到徐家，给陆小曼送来了噩耗……

一向任性的陆小曼在《哭摩》一文中，愧悔交加，痛彻心扉，字字血、声声泪地写道：

我深信世界上怕没有可以描写得出我现在心中如何悲痛的一支笔，不要说我自己这支轻易也不能动的一支。可是除此我更无可以泄我满怀伤怨的心的机会了，我希望摩的灵魂也来帮我一帮，苍天给我这一霹雳直打得我满身麻木得连哭都哭不出，浑身只是一阵阵的麻木。几日的昏沉直到今天才醒过来，知道你是真的与我永别了。摩！漫说是你，就怕是苍天也不能知道我现在心中是如何的疼痛，如何的悲伤……

她从此一改常态，戒掉烟瘾，终生素服，不再去任何娱乐场所，在生活上有很大改变。她的客厅里每日供着志摩的油画遗像，为他青灯守节。她还潜心编成《徐志摩全集》，其中的跋文《编就遗文答君心》，对志摩表达了深切的怀念和忏悔。倘若徐志摩天上有知，也一定会为此感到欣慰的吧！

徐志摩遇难后，还有一个女人格外悲伤，她就是张幼仪。当时因乍闻噩耗，悲痛之下的陆小曼方寸大乱，已不知所措。张幼仪则冷静地派 13 岁的儿子徐积锴去山东为父亲收尸，自己亲自主持丧葬，几次在徐志摩灵前痛哭失声。

自从与徐志摩离婚后，赴德国留学的张幼仪已经走出阴影并振作起来。她

进入裴斯塔洛齐学院专攻幼儿教育。回国后，曾在东吴大学教授德语，后来主政上海女子储蓄银行，成为中国第一位女银行家。她还创办了中国第一家云裳时装公司，所经办的事业均是大获成功。后来还当过民社党的执行委员兼财务部长。更可贵的是，张幼仪回国后仍服侍徐志摩的双亲，抚育她和徐志摩的儿子。《徐志摩全集》后来也在她的策划下出版。

每当提到"爱不爱徐志摩"这个问题，张幼仪总是说："如果照顾徐志摩和他家人叫做爱的话，那我大概爱他吧。在他一生当中遇到的几个女人里面，说不定我最爱他。"

徐志摩在生前总是和女性纠缠不清。去世之后，他仍然在那一众民国新女性当中催生着阵阵波澜。比如徐志摩生前留下的"八宝箱"之谜，就一直显得扑朔迷离。

1931 年 12 月 6 日，在徐志摩的追悼会上，胡适提到要将徐志摩的书信收集出版。这年的冬天，新月社的同仁们都在为编辑徐志摩的作品集而忙碌。就在收集材料的过程中，林徽因与另一位女作家凌淑华发生了"《康桥日记》"的纠纷。史称"八宝箱"之谜。所谓"八宝箱"是徐志摩遗留下来的装有他的日记、遗稿和书信等资料的一只箱子。

1925 年 3 月，徐志摩与有妇之夫陆小曼的恋情闹得满城风雨，让他心力交瘁。徐志摩辞去北京大学的教职，准备到欧洲旅行散散心。他的日记、一些书信和手稿不便随身远行，便统统装在一只箱子里，想要找个合适的人代为保管。交给谁保管比较好呢？徐志摩想到了他的挚友凌叔华。临走之前，徐志摩把小木箱交给了凌叔华保管，箱里装的是志摩的英文日记、陆小曼的日记和一些书信。

1931 年 11 月 27 日，凌叔华将小箱子交到了胡适那里。徐志摩生前曾经对林徽因说过，他的《康桥日记》就放在凌叔华那里。林徽因很想看一看，因为那本日记记录了徐志摩与她在英伦那段情感。在 11 月 28 日晨，林徽因从胡适那里得到小木箱。但是，林徽因发现小箱子中没有《康桥日记》。

她猜想是凌叔华暗自拿走了。凌叔华这时正打算编一本《志摩遗札》，就来到林徽因家里，向她要徐志摩的书信。林徽因说那些信都留在天津，一时没法给她。接着林徽因便问凌淑华："听说志摩的《康桥日记》在你那儿，能否借给我看看？"凌淑华听了之后，很勉强地说可以。林徽因又说到她家里去取，凌淑华说她下午不在家，改天吧。12 月 9 日，林徽因到凌淑华家里去拿信，但是没见着凌淑华，只看见她留下的一封信，推说因事务繁扰，一时没有找到。林徽因看完信之后非常不满，"气得通宵没有睡着"。她不明白凌淑华究竟怎么想的。

凌淑华却于 12 月 10 日给胡适写信，认为八宝箱不宜给林徽因，因为"内有小曼初恋时日记二本，牵涉是非不少 (骂徽因最多)，这正如从前不宜给小曼看一样不妥"。直到 12 月 14 日，凌淑华才将半本《康桥日记》拿给林徽因。但是，当林徽因打开这本日记的时候，里面的内容却很零乱，前后衔接不上。这次林徽因是真的生气了。她接连写了几封信给胡适，告诉他这一连串的事情。

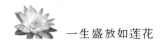

而且还郑重指出："现在无论日记是谁裁去的，当中一段缺了是事实，她没有坦白他说明了以前，对那几句瞎话没有相当解释以前，她永有嫌疑的（志摩自己不会撕的，小曼尚在可问）。"

胡适得知这一情况之后，12 月 28 日写信给凌淑华，要她把剩下的日记交给林徽因。他说："昨始知你送徽因处的志摩日记只有半册，我想你一定是把那一册半留下作传记或小说的材料了。但我细想，这个办法不很好，其中流弊正多。第一，材料分散，不便研究，第二，一人所藏成为私有秘宝，则余人所藏也有各成为私有秘宝的危险。第三，朋友之中会因此发生意见，实为最大不幸，绝非死友所乐意。第四，你藏有此两册日记，一般朋友都知道。我是知道的。公超与孟和夫妇皆知道，徽因是你亲自告诉她的，所以我上星期编的遗著略目，就注明你处存两册日记。昨天有人问我，我就说：叔华送来了一大包，大概小曼和志摩的日记都在那里，我还没有打开看。所以我今天写这信给你，请你把那两册日记交给我，我把这几册英文日记全付打字人打成三个副本，将来我可以把一份全的留给你做传记材料。请你给我一个回信。倘能把日记叫来人带回，那就更好了。我知道你能谅解我的直言的用意，所以不会怪我。祝你好。"

胡适的语气很委婉，但意思表达得很明确。凌淑华收到信后，于 1932 年 1 月 22 日托人把徐志摩《康桥日记》的另外半部交给胡适，并附一封信：

"适之：

外本璧还，包纸及绳仍旧样，望查收。此事以后希望能如一

朵乌云飞过清溪，彼此不留影子才好。否则怎样对得住那个爱和
谐的长眠人！

　　你说我记忆不好，我也承认，不过不是这一次。这一次明明
是一个像平常毫不用准备的人，说出话，行出事，也如平常一样，
却不知旁人是有心立意地观察指摘。这有备与无备分别大得很呢。
算了，只当我今年流年不利罢了。我永远未想到北京的风是这样
刺脸，土是这样迷眼。你不留神，就许害一场病。这样也好，省
得总依恋北京。问你们大家好。

　　　　　　　　　　　　　　　　　　　　　　即日。"

　　凌淑华在信中表达了对林徽因和胡适的不满。可是，根本原因还是凌淑华
自己不愿完整地交出日记。即便是这次交给胡适的半本日记，仍然有四页被裁
掉。胡适看了之后很是不满，认为凌淑华一错再错，不知悔改。他只好把这仍
然残缺的日记交给林徽因。林徽因自然心中不快。

　　徐志摩的《康桥日记》后来并没有结集发表。林徽因在这之后的一封给胡
适的信中说，是因为"年青的厉害"，"文学上价值并不太多"，况且当事人很多
健在。这些日记在当时是不宜出版的，也不急着用这些材料作传，目前"只是
收储保存"。胡适也同意她的看法，暂不公开发表徐志摩的日记。这件事总算告
一段落。据卞之琳称，林徽因将徐志摩的两本日记一直保存到她生命的最后一
刻。在林徽因生前，《康桥日记》没有发表。林徽因去世后，两本充满悬念的

《康桥日记》"物随人非"，不知所踪。到底是在"文革"中被红卫兵烧毁，还是林徽因或其后人烧毁？已经不得而知。

林徽因为什么会对《康桥日记》始终是志在必得呢？这就让人不禁联想到，徐志摩在《康桥日记》里是否记录了当年在英伦和林徽因相爱的往事经历，是否记录有林徽因最终与他没有牵手的真正原因？对于当时想得到《康桥日记》的原因，林徽因对胡适说是"好奇"、"纪念老朋友"。然而，随着《康桥日记》的烟消云散，很多民国风月往事也成为说不清、道不明的悬案。恐怕世人永远也无法知晓了。

也许就在这些红尘男女们纷纷扰扰的时候，那位在茫茫虚空之上高蹈的年轻诗人正轻轻吟着遗世诗章《你去》：

　　你去，我也去

　　我们就此分手

　　你上那一条大路

　　你放心走

　　你看那街灯一直亮到天边，

　　你只消跟从这光明的直线！

一　生　盛　放　如　莲　花

我爱这雨后天，
这平原的青草一片！
我的心没底止的跟着风吹，
风吹：
吹远了香草，落叶，
吹远了一缕云，象烟——
象烟。

我情愿化成一片落叶，
让风吹雨打到处飘零；
或流云一朵，在澄蓝天，
和大地再没有些牵连。

一　生　盛　放　如　莲　花

第三卷

白莲温婉：愿得一心人，白首不相离

"既见君子，云胡不喜？"在才华横溢、温柔宽厚的梁公子面前，少女林徽因的白皙脸色渐渐被温软的春光浸染，桃红一片。那一刻，两人相视而笑，心中温馨无限。

她是一个美丽而灵慧的女子，如同一块温润美好的暖玉。如水的时光未来还要淘洗它，打磨它。

在浪漫诗人与未来的建筑学家之间，林徽因最终没有选择徐志摩，而是选了脚踏实地的那一个。在长辈们的安排下，她和梁思成相识相爱了。

1901 年 4 月 20 日，梁思成林出生于日本东京。他自幼受到得天独厚的家庭教育，澡雪精神，锤炼品格，才学品行都远胜于同辈。位于北京西郊的清华学堂，是 1908 年美国退还给中国的庚子赔款，创立的一所西式学校，采用美式教育，全英文教学，重视西方科学、艺术、音乐、体育的教育。当年考入清华学堂的学子，多出自官宦富贵之家。1915 年，梁思成考进清华学校读书后，他是校园里异常活跃的少年。他不光学习刻苦，成绩优异，更是喜欢体育运动，比如跑步、跳远、攀爬、体操等，获得过校体育运动会跳高冠军。同时又十分爱

好音乐和美术。他因喜爱绘画，任《清华年报》美术编辑；喜爱音乐，学过钢琴、小提琴，还当了学校管弦乐队队长，吹第一小号。他的外语也好，翻译了王尔德作品《挚友》，发表于《晨报副镌》；还与人合作译了一本威尔司的《世界史纲》，由商务印书馆出版。"五四"运动爆发后，他是清华学生中的小领袖之一，是"爱国十人团"和"义勇军"中的中坚分子。

可见，梁思成在清华学校属于令人瞩目的"学生王子"一类人物。在人们眼里，林徽因和梁思成从才情到志趣，从家世到经历，两人无不相投合，可谓佳偶天成，是几乎可以媲美李清照、赵明诚的美满婚姻。

梁思成与林徽因初次相识的时候，还是个十七岁的少年，也是一个温柔稳重的谦谦君子，却又不乏幽默。林徽因刚刚十四岁，明眸皓齿，语笑嫣然，如水之明澈，花之娇艳。

那次看似偶然的相见，其实是梁林两家的长辈们有意促成的。1918 年，林长民从日本回国。这一年林徽因已经十四岁。林长民开始为女儿的终身大事操心了。他和梁启超都是声名显赫的政界名流，又都是儒雅的文人名士。一个倡导维新变法闻名于世，一个是立宪派著名人物，因志趣相投而结下了深厚情谊。两位长辈安排了林徽因和梁思成见面认识，只是让他们先认识一下，希望一切都能顺利地水到渠成。

于是，十七岁的梁思成和十四岁的林徽因第一次见了面。

房门开了，林徽因走进来。梁思成看到的是一个亭亭玉立却仍带稚气的小姑娘，梳两条小辫，双眸清亮有神采，顾盼生辉，五官精致有雕琢之美，左颊有笑靥，浅色半袖短衫罩在长仅及膝下的黑色绸裙上。虽然只是朴素衣裙，却遮挡不住她的美丽和神采。她安静的时候娴淑沉稳，活泼的时候生气蓬勃，翩然转身告辞时，飘逸如一个小仙子，是一位谁见了都会心生喜爱的女孩。

林徽因和梁思成见面后彼此都留下了深刻的印象。梁思成女儿梁再冰在《回忆我的父亲》中有这么一段记述："父亲大约十七岁时，有一天，祖父要父亲到他的老朋友林长民家里去见见他的女儿林徽因（当时名林徽音）。父亲明白祖父的用意，虽然他还很年青，并不急于谈恋爱，但他仍从南长街的梁家来到景山附近的林家。在'林叔'的书房里，父亲暗自猜想，按照当时的时尚，这位林小姐的打扮大概是：绸缎衫裤，梳一条油光光的大辫子。不知怎的，他感到有些不自在。门开了，年仅十四岁的林徽因走进房来。父亲看到的是一个亭亭玉立却仍带稚气的小姑娘，梳两条小辫，双眸清亮有神采，五官精致有雕琢之美，左颊有笑靥；浅色半袖短衫罩在长仅及膝下的黑色绸裙上；她翩然转身告辞时，飘逸如一个小仙子，给父亲留下了极深刻的印象。"

当梁思成在自己家里第一眼看到林徽因，就被这个亭亭少女的美丽和气质深深地打动了，尤其是她起身离去时甩动裙子的那一瞬，一种轻灵脱俗的曼妙感觉使梁思成终身难忘。

在梁思成的眼里，她浑身上下散发着一种说不出的魅力，似灵动的精灵。他好象在悠长的江南雨季里，闻到无数爱情故事的芬芳，看到桃花与柳絮的纷

扬影子。与无数光阴的碎片擦肩而过。

在他最美的华年里，遇到最美的她。那时候梁思成就想：如果娶得林徽因将是自己一生的幸福！

此后，他们一直保持着友好的交往。但真正确立恋人关系是在林徽因从英伦回国以后。在两家大人的安排下确定的。1921 年 11 月、12 月间，林徽因与父亲一起抵达了上海，梁启超派人接林徽因回到北京，又让她回到培华女子中学读书。

不久，梁思成就来到林宅拜访。这一年，梁思成 21 岁。几年不见，他们都有了新的变化，身心都已成熟。林徽因归国后，和母亲居住在林宅后院里。小院有一架紫藤，紫藤的叶片呈长椭圆形，密密匝匝地缠绕在藤条上。阳光穿过藤萝架，洒下一地斑驳细碎的光影。让林徽因恍若在梦中。

这时，梁思成常来这里看望徽因，相约出去游玩。梁思成待人谦和、斯文有礼，脑腆里透着忠厚。个子不高，看上去却十分精神。"既见君子，云胡不喜？"在才华横溢、温柔宽厚的梁家公子面前，少女林徽因的白皙脸色渐渐被温软的春光浸染，桃红一片。那一刻，两人相视而笑，心中温馨无限。

林徽因母亲很中意这个小伙子，总是吩咐厨师另外精心准备几个菜点。厨师是林长民早年从福州带出来的，做得一手好潮州菜。

母亲看得出来，林徽因是喜欢这个斯斯文文的小伙子的。

确实，他们无论是出身教育还是文化构成都有太多的相似，性情、趣味的相投使他们的交流十分默契。梁思成并不长于言辞，却具幽默感。他的笃诚宽厚让林徽因感到踏实而心安。他不动声色的谐谑，常常让林徽因忍俊不禁。后来，林徽因这样回忆和梁思成的"美好往事"，口气舒缓俏皮："那时我才十七八岁，第一次和思成出去玩，我摆出一副少女的矜持。想不到刚进太庙一会儿，他就不见了。忽然听到有人叫我，抬头一看原来他爬到树上去了，把我一个人丢在下面，真把我气坏了。"

清华学堂八年的学习生活，那个十七岁的青涩少年已经成长为一位青年才俊。和林徽因相爱更让他觉得自己是世界上最幸福的人。很多次在那棵紫藤架下，他望着林徽因，感觉到某种平静相守的幸福和满足。林徽因也沉浸在爱的幸福中，内心充实而喜悦。

爱一个人和被人所爱，是每一个少女的梦想和渴望。而梁思成让她的爱找到了归宿。就象爱情鸟找到了栖息的枝头，从此可以快乐地歌唱。

这对沉浸在快乐中的小儿女只要到了一处，就有说不完的话。

他们彼此有很多共同话题，常在一起憧憬未来。对于两个相爱的年轻人的未来，家里早有安排。一待梁思成从清华学堂毕业，就送他们去美国留学深造。

当梁思成和林徽因憧憬着未来的时候，并谈起了今后的专业选择。林徽因告诉梁思成，在伦敦有一个同学，能花好几个小时在画板上把房子画出来。她也很喜欢建筑。因为那是一门将艺术和建筑融为一体的学科，是一种把日常的

艺术创造和实际用途结合起来的事业。她还给梁思成谈起了她所知道的建筑，谈起了欧洲大陆那些"凝固的音乐"、"石头的史诗"。林徽因说她以后准备学习建筑。

梁思成从林徽因那里第一次听说了建筑学科。大感意外，他从未想过文弱的女孩子要学盖房子："建筑？"他反问道，"你是说 house（房子）？还是 building（建筑物）？"林徽因笑起来，腮边现出一个淡淡笑涡："更准确地说，应该是 architecture（建筑学）吧！"

那一年是梁思成在清华的最后一年。梁思成非常喜欢绘画，本来是决定去学习绘画的。林徽因要学"前途无量的建筑"。梁思成立刻理解了她的想法，纯粹的艺术在当时处于战乱的中国很难有大的发展。而建筑学既包含了艺术创作，又有着科学理性的内涵。既是美的创造，又具有实用性。

因为爱情，他决定和林徽因一起到美国学习建筑。事实证明，这个决定是英明正确的。在后来漫长的婚姻生活中，由于他们有着共同的事业，所以从未感到生活平淡乏味。他们常常把工作带到家中，时而争论、时而共鸣，工作与生活的界限已经模糊，而爱情也因为融入到了对事业的不懈追求中，而历久弥新。不过，这已是后话了。

此后，两个人有了志同道合的话题，思想和情感更加亲近了。

然而在 1923 年 5 月 7 日这一天，梁思成遭遇了一场飞来的横祸。

那天是星期一，学生们在大街上扯起横幅，举行"五七国耻日"游行。梁思成带着弟弟梁思永去参加游行。他们骑着从菲律宾买来的摩托车去追赶游行队伍。驶过长安街时，被一辆轿车迎面撞倒。摩托车被撞翻，梁思成被压倒在下面，弟弟则被甩出去很远。梁思永起来后发现哥哥已经不省人事，立刻跑回家去找人帮忙。一个仆人急忙跑到现场，把梁思成背回了家。全家人都吓坏了，这时候梁思成的眼珠已经停止了转动，脸色苍白，没有一点血色。

刚刚闻讯的梁启超保持了镇定，让人去找医生。不一会儿工夫，外科医生来了。大夫仔细检查后得出结论，车祸造成梁思成股骨复合性骨折。家人急忙把他送到了协和医院。梁思永问题不大，所以很快就可以出院，可是梁思成的右腿伤得很重，至少需要在医院住上八个星期。

林徽因是在梁思成出事几个小时后得到的消息，急忙赶到了协和医院。梁家人都挤在病房里，看着满脸汗水和泪水的林徽因，梁启超安慰她说："思成的伤不要紧，医生说只是右腿骨折，住上七八个星期就可以出院了，你不用担心。"

听说了梁思成受伤的消息以后，林长民也急忙和夫人赶到了医院。林家和梁家都守护在梁思成的病床边。梁思成每一声痛苦的呻吟，都牵动着林徽因的心。梁思成一个月动了三次手术，痛苦不堪。为了照顾梁思成，林徽因从学校请了一周假，她每天都守在梁思成的床边，为他喂饭、换洗。虚弱的梁思成每每在林徽因的帮助下翻动一次身子，便大汗淋漓。徽因顾不得擦自己的汗，用温水绞了毛巾，在他身上轻轻擦拭。

那段时间，林徽因每天都到医院里来看望他，并且落落大方地坐在床边

和他热心地交谈，给他擦汗、削苹果，说着安慰和鼓励的话。患难见真情。对于相爱的人来说，每一点爱的表现都会让对方感到异常甜蜜。有林徽因陪在身旁，梁思成的心里感到十分地温暖、感动和幸福。虽然梁思成刚动过手术，可是因为有林徽因的陪伴，所以心情非常好，这比什么药都好。身体渐渐康复起来。

突如其来的灾难让他们的心更加紧密地贴在了一起。从此，梁思成和林徽因的感情有了质的变化。如果说从前林徽因有时还会有所动摇的话，那么从此以后，她确定自己要与梁思成厮守终生。

梁启超对林徽因非常满意，他在给女儿的信中说："我也很爱徽因，我已经把他当成我的女儿，一个非常可爱的女儿……老夫的眼力非常不错，徽因将会是我的第二个成功。"然而，他的夫人李蕙仙并不认可林徽因的举动。一个未婚女孩子如此表现有点出格了，全然没有大家闺秀所应该有的矜持。在她看来，思成卧病在床，大家闺秀应该回避才是，一个还没有下聘礼的女孩怎么能如此不成体统！年轻一代的这种"洋派"作风使她感到不能接受。她认为，如果思成娶这样一个女人，他一定不会幸福。

然而，梁思成与林徽因两家的父亲是挚友，其婚恋关系早由大人商定；林徽因虽然性情浪漫，但在生活上希望稳定、踏实。加上梁思成性情温和，气度儒雅，因此更让林徽因感到可靠。

"愿得一心人，白首不相离"，这是古代红颜女子卓文君的爱情梦想，也是现代才女林徽因的内心向往。

1924 年 6 月，梁思成和林徽因都考取了赴美国官费留学。

这一年，林徽因 20 岁，梁思成 23 岁。他们先是一起赴美国的康奈尔大学读预科班。然后前往费城的宾夕法尼亚大学攻读建筑学专业。

梁思成顺利地进入了建筑系学习。林徽因报到时却遇到意外，校方告知她：建筑系只收男生，不收女生。因为校方认为建筑系的学生经常须在夜里作图画画，而一个女生深夜呆在画室是很不适当的。因此建筑系不招收女生。林徽因只得和美国女学生一样，报的是美术系，选修建筑课程。宾大美术学院教学方式独特，学院有一个设备齐全的工作室，学生可以随时进去设计自己的作品。

宾夕法尼亚大学创立于 18 世纪，属于常春藤大学联盟，这所大学的学术风气十分浓厚，历任校长思想活跃，研究院办得也很出色。梁思成就读的建筑学研究院，是尤其出色的一所。不上课的时候，林徽因、梁思成便约了早一年到宾大的陈植，去校外郊游散步。有时，他们也散步到栗树山一带，那里到处是

漂亮的宅邸，树木繁茂，环境幽雅，那是富人的居住区。兴致好的时候，他们便坐了车子到蒙哥马利、切斯特和葛底斯保等郊县去，看福谷和白兰地韦恩战场，拉德诺狩猎场和长木公园。

据林徽因的好友费慰梅描述：大学时代，美国学生多认为中国学生十分刻板和僵硬，林徽因却是个例外。林徽因异乎寻常的美丽，聪明活泼，说一口流利的英语，善于和周围的人搞好关系。陈植常在大学合唱俱乐部里唱歌，爱开玩笑，幽默活泼，也是最受欢迎的男生。而梁思成则是一个严肃用功的学生。生性浪漫的林徽因，满脑子创造性常常先画出一张草图或建筑图样。随着工作的进展，就会提出并采纳各种修正或改进的建议，它们自己又由于更好的意见的提出而被丢弃。当交图的最后限期快到的时候，就是在画图板前加班加点拼命赶工也交不上所要求的齐齐整整的设计图定稿了。这时候梁思成就参加进来，以准确和漂亮的绘图功夫，把那乱七八糟的草图变成一张清楚整齐能够交卷的成品，使得林徽因对他既敬佩又感激。

梁思成虽然学的是建筑专业，但他在音乐和绘画方面都有很好的修养。宾大要求学生自己设计作品，他的第一件作品便是给林徽因做了面仿古铜镜。那是用一个现代的圆玻璃镜面，镶嵌在仿古铜镜里合成的。铜镜正中刻着两个云冈石窟中的飞天浮雕，飞天的外围是一圈卷草花纹，花环与飞天组合成完美的圆形图案。图案中间刻着一行字："徽因自鉴之用，思成自镌并铸，喻其晶莹不珏也。"林徽因惊奇地赞叹着："这件假古董简直可以乱真啦！"

梁思成告诉她："做好以后，我拿去让美术系研究东方美术史的教授，鉴定这个镜子的年代，他不懂中文，翻过来正过去看了半天，说从来没见过这么厚的铜镜，从图案看，好像是北魏的，可这上面的文字又不像，最后我告诉教授，这是我的手艺。教授大笑，连说 Hey！ mischievousimp！（淘气包）"

林徽因听了，不禁笑得前仰后合。没想到，这个谦谦君子还会这样调皮！

入校不到一个月，梁思成的母亲患癌病逝。梁林二人此时刚刚入校，一切尚未就绪，梁启超再三致电不让思成回国奔丧，只让思永一人回去了。梁思成悲痛欲绝，林徽因便同他在校园后边的山坡上搞了一次小小的祭奠。梁思成焚烧了他写给母亲的祭文，林徽因采来鲜花绿草编织成花环，朝着家乡的方向挂在松枝上。

母亲去世后不久，梁思成接到父亲的信。信中讲到林徽因的父亲林长民要去奉军郭松龄部做幕府。他不听朋友劝告，乱世之中安危莫测。这时，林徽因想起父亲也好久没有来信了，开始担心起来。

每天，当去取信的梁思成两手空空回来时，她心头感到了失望和恐慌。令人忧心的消息不断从大洋彼岸传来。报上有消息说：郭松龄在滦州召集部将会议，起事倒戈反奉，通电张作霖下野，并遣兵出关。又有消息说：郭军在沈阳西南新民屯失利，郭部全军覆没。

后来，忧心如焚的林徽因终于盼到了家书。信是梁启超写给思成的：

"我现在总还存万一的希冀，他能在乱军中逃命出来。万一这种希望得不著，我有些话切实嘱咐你。

　　第一、你要自己十分镇静，不可因刺激太剧，致伤自己的身体。因为一年以来，我对于你的身体，始终没有放心，直到你到阿图利后，姐姐来信，我才算没有什么挂念。

　　现在又要挂起来了，你不要令万里外的老父为着你寝食不安，这是第一层。徽因遭此惨痛，唯一的伴侣，唯一的安慰，就只靠你。你要自己镇静着，才能安慰她，这是第二层。

　　第二、这种消息，看来瞒不过徽因。万一不幸，消息若确，我也无法用别的话解劝她，但你可以将我的话告诉她：我和林叔叔的关系，她是知道的，林叔的女儿，就是我的女儿，何况更加以你们两个的关系。我从今以后，把她和思庄一样看待，在无可慰藉之中，我愿意她领受我这十二分的同情，度过她目前的苦境。她要鼓起勇气，发挥她的天才，完成她的学问，将来和你共同努力，替中国艺术界有点贡献，才不愧为林叔叔的好孩子。这些话你要用尽你的力量来开解她。"

　　林徽因看了这封信，心情很是沉重。再没有谁能比她更了解父亲了。林长民性格开朗，不拘小节，但他是个充满了政治热情的人。林徽因知道，依照父亲的性格，他对认定了的事情，总是不遗余力，更不会吝惜自己的生命。

　　往国内拍发的几封电报，终于有了回音。那是一个令人心碎的消息。

　　梁启超在信中说："初二晨，得续电又复绝望。昨晚彼中脱难之人，到京面述情形，希望全绝，今日已发表了。遭难情形，我也不必详报，只报告两句话：（一）系中流弹而死，死时当无大痛苦。（二）遗骸已被焚烧，无从运回了。……

徽因的娘，除自己悲痛外，最挂念的是徽因要急煞。我告诉她，我已经有很长的信给你们了。徽因好孩子，谅来还能信我的话。

我问她还有什么话要我转告徽因没有？她说："没有，只有盼望徽因安命，自己保养身体，此时不必回国。"我的话前两封信都已说过了，现在也没有别的话说，只要你认真解慰便好了。"

林徽因只看完开头几行便昏倒了。一连几天，她精神恍惚，眼前总是闪现着父亲的影子，仿佛看到雪池胡同家中那两棵桔树，在料峭的寒风中颤抖。那个风流儒雅、以天下为己任的父亲，那个慈爱温和、博学多才的父亲，难道从此从这个世界永远消失了吗？

不久，林徽因又接到了叔叔林天民的信和寄来的报纸。她从《京报》、《益世报》、《大公报》、《盛京时报》等报刊上知道了父亲亡故的详细经过。

1925 年，军阀张作霖依靠日本政府的支持，兵分四路进攻北平，意欲打败华北军阀，自任总统，统治全中国。11 月，郭松龄将军向全国发表《反奉通电》：反对内战，倡导和平；要求张作霖下野，惩办内战罪魁杨宇霆；改造东北，再造三省新局面。这个爱国进步的通电，得到了中国共产党、国民党左派和一切进步团体以及各界群众的热烈欢迎。一时间，京津及全国各地，纷纷集会游行、发表通电予以声援。

不久，郭松龄将原奉军第三方面军改称东北国民军，起兵反奉，打倒军阀，制止内战，誓死救国。林长民当时应邀参加郭松龄幕府，担任政务处长。郭部开出十余列火车向山海关进发。出关后，郭松龄部队士气旺盛，接连攻下山海

关、连山和锦州，迅速击溃辽西奉军各部。张作霖手中无兵可援，惶惶准备下野。正在此时，日本公开武力干涉，一度郭军受阻。

12 月 21 日，郭松龄在辽河两岸的新民召开紧急军事会议，决定当晚向张作霖的"讨逆军"发动总攻击。两个多小时激战后，逼进张部指挥中心。由于张作霖得到日本政府的支持，调集大批部队反攻，而郭部内部却出现了叛徒，因而形势急转直下，郭军节节溃败。郭松龄见全线失利，遂宣告他率一部突围，同夫人韩淑秀、幕府饶汉祥、林长民及卫队乘马车向锦州方向奔逃。在行至新民县西南四十五华里苏家窝棚时，被奉军王永清骑兵袭击。郭松龄带领卫队进入村中，凭借村舍进行抵抗，卫队死伤过半，和郭松龄同行的林长民中流弹身亡。，后来又被误认为是日本人而焚烧了尸体，殁年 49 岁。郭松龄夫妇藏于民家菜窖中，后被搜出押往辽中县老达镇，25 日被押至距老达镇五里许的地方枪杀。

林徽因得此噩耗，悲痛万分，泣不成声。父亲逝世，对于林徽因来说就整个天空的轰然倒塌，是她人生中遭受的第一次巨大打击。林徽因与父亲有着深厚的感情。她是父亲最疼爱的孩子，她的一切都是父亲赋予的。林长民曾经不无骄傲地对徐志摩说过："做一个有天才的女儿的父亲，不是容易享的福，你得放低你天伦的辈分，先求做到友谊的了解。"林徽因和父亲之间，既是父女，也是师友，更是知己。年仅 49 岁、那样有生气、有才干的父亲竟然就此撒手人衰，怎能不令人伤心欲绝？

此时，她还挂念着年迈多病的母亲，挂念着几个幼小的弟弟，她知道父亲身后没有多少积蓄，一家人的生计将无法维持。想到这些，她执意要回国。这时，远在中国的梁启超得知后，频频电函阻止，告诉她福建匪祸迭起，交通阻隔，回来会出意外。并告知她，家里的事他可以帮着处理，不用她担心。只需她节哀，好好注意身体，继续在美国求学。梁思成也一再劝阻，林徽因终于没有回去。

后来，她又想回国考取清华官费或在美国停学打工一年，以解决留美经费问题，又一次受到梁启超的劝阻。梁启超写信给思成说："徽音留学总要以和你同时归国为度。学费不成问题，只算我多一个女儿在外留学便了。"几天后梁启超就致信问梁思成：林徽因留学费用还能支撑多少时间，嘱他立刻回告，以便筹款及时寄到。当时，梁家的经济也很困难，梁启超准备动用股票利息解难。他早已把林徽因视为家庭的一员，对徽因多了一份舐犊之情。同时，梁启超在国内尽心地照顾着林长民的其他家眷。

那一段时间，林徽因深陷丧父之痛，整日以泪洗面，卧床不起。那些日子里，她感到那些泛滥的黑白光影铺满了整个世界，浓重阴郁的死亡气息简直令人窒息。她感到一种锥心的难受。陈旧发黄的画面铺天盖地地涌到她的脑子里，一帧一帧都是时光的碎片，父亲的身影，父亲的笑容，父亲的声音，陪伴她儿时的记忆。

生命不过是沧海一粟，却承载了太多的悲欢离合。如今，生命中最呵护她的那一层保护外壳，带着血和痛被无情剥落了。她感到自己象是一只刚刚出壳的小雏鸡，孤零零地站在这个世界上，娇嫩而柔弱。

　　窗外，残阳似血。梁思成来了，轻轻握住她的手，冰凉。她的手轻轻动了一下，感到了一丝暖意。这些天，他象一个沉默而忠诚的守护神，一直陪伴在她身边。当她吃不下饭的时候，他就去学校的餐馆烧了鸡汤，一勺一勺喂她。

　　思成的体贴，让仿佛身处悬崖上的她感到了一种深深的依赖。她仿佛感到自己从来没有象今天这样软弱，这样需要一个宽厚的肩膀来靠一靠。

　　她扑进了思成的怀抱，无声地哭了。心里却在轻轻地喊：思成，思成，不要离开我。不要让我一个人，我怕孤独！

　　爱，既是花前月下的卿卿我我、儿女情长；更是患难中的彼此扶持和共同承担。原本活泼、快乐的林徽因开始沉静下来，原本单纯的目光里多了些深沉、忧郁。

　　后来，受邀前往宾大讲演的老朋友胡适见到她，都忍不住叹息道：林徽因有了不小的变化，个子长高了点，看上去老成了许多。

　　是的，她在爱与痛中慢慢地成长、成熟。

死生契阔，与子成说。

执子之手，与子偕老。

——《诗经·邶风·击鼓》

父亲去世后，女儿林徽因一直被痛苦深深地折磨着。

林徽因的二娘带着她的孩子回到福建老家，她的生母何雪媛将依靠女儿和女婿生活。这时，梁启超开始考虑梁思成和林徽因的未来生计，特别是在他回国后给他找一个好的职位。

1927年2月，梁思成完成了宾夕法尼亚大学课程，获建筑学士学位。他的两个设计方案先后获得了学院的金奖，这在学院的历史上也是罕见的。梁启超随信给梁思成和林徽因寄来了一本由北宋时曾任工部侍郎的李诫编写整理的

《营造法式》。这是一部古代建筑技术专用书，是北宋时期官订的建筑设计、施工用书，近似于今天的建筑设计手册。徽因、思成惊喜之余，却发现这部书采用的是宋代工匠们的术语行话，读来如同天书，无从破译。

为研究东方建筑，梁思成在 1927 年 8 月向哈佛的科学和艺术研究生院提出了入学申请，说他的目的是"研究东方建筑。对于那些大厦的研究及其保护的极端重要性促使我作此选择"。他的申请通过了，1927 年 9 月他转入哈佛大学研究生院，半年之后，他获得了建筑学硕士学位。

这时，林徽因也结束了宾夕法尼亚大学的学业，获美术学士学位。早已向往演艺界的林徽因，决定到耶鲁大学戏剧学院去读舞美设计。在耶鲁大学，聪明美丽的林徽因受到了大家的欢迎。她是第一位在国外学习舞台设计的中国学生。宾夕法尼亚大学三年的学习使她打下了良好的美术功底，再加上她喜爱戏剧，也演过戏剧，因此她对舞台的灯光、空间、视觉效果，都有独到的见解，帕克教授对她十分赞赏。同学们也时常找林徽因帮忙做作业，善良的林徽因都会妥善地帮他们做好。林徽因在 C.P. 贝克教授的工作室学习舞台美术半年，成为我国第一位在国外学习舞美的学生。

梁思成是梁启超的长子，林徽因又是他亲自选定的未来儿媳。因此，梁启超为他们的婚事作了详细的安排：因为徽因和思成在国外，所以婚礼按照国外的规矩进行，在教堂举行婚礼，婚后去欧洲度蜜月，同时对外国的建筑进行考察，然后回国。婚事由大女儿思顺和女婿周希哲为他们操办。两人的定亲仪式按照中国的老规矩进行，由国内的亲人为他们操办。

1927 年 12 月 18 日，梁思成、林徽因正式订婚。订婚仪式是梁启超在北京按传统礼仪办的。林徽因父亲过世，由姑父卓君庸履行仪式。梁启超提出，用旧式红绿庚帖各一份，合写男女籍贯、生年月日时辰及父上三代。聘物是一件玉器，一件小金如意（正式行聘时无如意，改两方玉珮，一红一绿）。媒人则请曾任司法部司长的书法家林宰平担任，庚帖也请他缮书。梁启超二夫人王桂荃又请人选定阳历十二月十八日为吉日，梁思成二叔主持仪式。梁启超撰写了《告庙文》，清晨告庙谒祖，中午大宴宾客，晚上家族欢聚。虽然新人双方都不在场，整个订婚仪式却十分隆重。

在为两个人办完订婚仪式后，梁启超将一份祭告祖先的帖子寄给了梁思成，让他保管。同时提笔写信商议两人举办婚礼的大小事务。真是可怜天下父母心，这位高瞻远瞩、学贯中西的近代中国启蒙者，同时也是个平凡的父亲，会为孩子们生活的每一个细处操心，会为孩子的前途苦心筹划。他用自己的思想和情感默默影响着下一代要走的路。既像传统父母那样对孩子抱有望子成龙的想法，但是又平等、民主地对待自己的孩子。他在生活和事业上及时给予引导，同时又尊重孩子们的自主选择。

1928 年 2 月，他们各自完成了自己的学业。学成归国之前，梁启超便开始操心他们的婚事了。

1928 年 3 月 21 日，梁思成和林徽因在加拿大渥太华中国驻加拿大总领事馆的客厅里举行了婚礼。婚礼由在加拿大任总领事的女婿周希哲和女儿梁思顺帮

助筹划。他们选定 3 月 21 日，为的是纪念宋代建筑家李诚。这一天是宋代李诚碑刻上留存的日期，也是关于李诚资料中唯一的日期。

林徽因不愿穿西式白纱婚礼服，但又没有中式礼服可穿，她便以构思舞台服装的想像力，自己设计了一套东方式的结婚礼服：长长的裙摆曳地，领口和袖口都绣有中国古典盘花纹样。特别是婚服的头饰，洁白的绢纱配着头饰华美的冠冕，中间的红璎珞美得耀眼。据说，婚礼当天，这套礼服曾使加拿大新闻摄影记者大感兴趣。林徽因的中国风如同青花瓷书前朝之飘逸，让洋人们大开眼界，第二天报纸的头版头条几乎都是林徽因的婚照。她那清丽的眉眼开始有了小妇人的娇艳，清气逼人。

婚礼由姐姐和姐夫主持。中外来宾很多，场面非常隆重。林徽因就穿着这件别致的婚服，在美妙的婚礼进行曲中走向了思成。思成在徽因脸颊上轻轻一吻。历经曲折，几多磨合，谦谦君子终于抱得美人归。一切深情尽在这一吻中。生命中所有的日子仿佛开出了美丽的花朵。

这对小夫妻也给姐姐、姐夫行了三鞠躬。这时，梁思顺眼里激动地流出泪水。从夫人去世以后，梁启超便多次写信，弥合女儿同林徽因之间的感情。梁思顺也慢慢冰释了思想上的芥蒂。这次见到徽因，比上次又有不同，她出落得更加风姿绰约，落落大方。在领事馆，她和周希哲还为林徽因、梁思成张罗了几桌丰盛的婚宴。

婚后，他们俩立即写信给梁启超，详细告知婚礼的举行情况。梁启超收到信后。满心欢喜，很快回复他们，表示祝贺，并诉说自己的喜悦和期望。他说：

"我将近两个月没有写给孩子们的信了。今最可告慰你们的，是我的体子静养极有进步，半月前入协和灌血并检查，灌血后红血球竟增至四百二十万，和平常健康人一样了。你们远游中得此消息，一定高兴百倍。思成和你们姊姊报告结婚情形的信，都收到了，一家的冢嗣，成此大礼，老人欣悦情怀可想而知。尤其令我喜欢者，我以素来偏爱女孩之人，今又添了一位法律上的女儿，其可爱与我原有的女儿们相等，真是我全生涯中极愉快的一件事。你们结婚后，我有两件新希望。头一件你们俩体子都不甚好，希望因生理变化作用，在将来健康上开一新纪元。第二件你们俩从前都有小孩子脾气，爱吵嘴，现在完全成人了，希望全变成大人样子，处处相互体贴，造成终身和睦安乐的基础。这两件希望，我想总能达到的。"

任公老人的慈爱宽仁令两个小儿女深为感动。

婚后，梁思成与林徽因踏上了欧洲的蜜月之旅。

他们先到英国伦敦考察了圣保罗大教堂，参观了带有东方情调的布莱顿皇家别墅以及别具古典内涵的英国议会大厦。最使他们倾心的还是海德公园的水晶宫。她在日记里写道："从这座建筑，我看到了引发起新的、时代的审美观念最初的心理原因，这个时代里存在着一种新的精神。新的建筑，必须具有共生的美学基础。水晶宫是一个大变革时代的标志……"

后来，他们来到了法国巴黎。巴黎的春天明媚而又轻扬。香榭丽舍大街上，阳光在高大的法国梧桐树林之间投下了斑驳的影子，像一幅浪漫的油画。他们

还参观了巴黎圣母院和卢浮宫。在意大利古老的罗马城，两人参观了西斯廷教堂，仔细欣赏那闻名于世的是米开朗琪罗的穹顶画。在夕阳西下的暮霭中深深沉醉。在德国波茨坦，梁思成牵着林徽因慢慢地走向爱因斯坦天文台。爱因斯坦天文台是德国著名建筑师门德尔松的表现主义代表作。爱因斯坦自己也对它赞叹不已，说它是本世纪最伟大的建筑和造型艺术上的纪念碑。

这次欧洲之行对他们未来的生活和工作都产生了十分深远的影响，使他们形成了建筑美学的国际视野。

在中国驻西班牙使馆，他们收到了父亲梁启超的信。他一直在北京养病，给儿女们写信是他排解寂寞的方式。他告诉梁思成和林徽因："……思成的工作定下来了，现已接到了东北大学的聘书，月薪 265 元，这是初任教教员的最高薪金了，暑假一结束就要开始上课……那边的建筑事业将来大有发展的机会，比温柔乡的清华园强多了。但现在总比不上在北京舒服，我想有志气的孩子，总应该往吃苦路上走。"

原来，新建的东北大学建筑系缺乏合适的教员。从宾夕法尼亚大学建筑系毕业的杨廷宝听说了这件事，马上推荐了自己的好友梁思成，于是，东北大学筹备委员会就决定聘请梁思成。梁启超也认为这是个好机会，就鼓励自己的儿子利用这个机会回到国内，好好发挥自己的才能。看到工作落实了，梁思成的心一下子放松了许多。

这时已经是七月份，还有一个月学校就要开学了，他们决定放弃考察活动，马上回国。又因为时间紧迫，不得不把水路改成旱路。他们坐火车横穿西伯利亚，经伊尔库什克回国。这是他们唯一一次的漫游。这一场别样的蜜月旅行，让他们终生与建筑结下不解之缘。

哪怕未来的人生一路荆棘，哪怕会面对种种困境，这对刚刚牵手的年轻夫妻都会一起共同面对。

八月中旬，久别故乡的游子终于归来了。整个梁家像是在过节，大人小孩兴高采烈，欢迎海外归来的一双新人。

回家了，不管国外留学的生活多么自由、惬意，梁思成和林徽因还是喜欢北京城内特有的那种中国味道。让他们魂牵梦绕的始终是东方都城的高大城墙，那些精美的雕梁画栋、古色古香的亭台楼阁，青砖黑瓦的大宅院。夕阳慵懒地挂在院落墙边，小巷青石板苔痕斑驳，街坊邻里之间的见面寒暄京味儿十足……

梁思成和林徽因的归来，给病中的梁启超带来莫大的慰藉。对于这桩婚事，梁启超是最初的策划者和播种者，然后看着它发芽，生长。在大家细心呵护下最终结出了丰硕的果实。是呵，如今儿子长大成人，品学兼优，婚姻美满，娶回一位秀外慧中、众人称羡的媳妇。人生的幸福莫过于此。

几年不见，梁启超看到儿子又黑又瘦，头筋涨起，心头有几分不高兴。但变化了的林徽因并没像梁启超担心那么洋味十足。他告诉大女儿思顺："新娘子非常大方，又非常亲热，不解作从前旧家庭虚伪的神容，又没有新时髦的讨厌习气，和我们家的孩子像同一个模型铸出来。"在欧洲拍摄的照片冲洗出来了，林徽因对家人讲述着照片上的名胜、建筑、风土人情。她对梁启超抱怨道："你瞧，思成多可气，这么多照片，他就没好好给我拍过一张。人都是这么一丁点儿，他是拿我当 scale（标尺）呀！"梁启超望着眼前的儿女，呵呵地笑着。笑声里全是慈爱和满足。

有了只属于家的那份温馨气氛，有来自家人的疼爱和关心，林徽因觉得一切似乎又都变得明朗而安恬。她每天和思成整理着在国外的资料和照片，空闲时和大家欢聚闲聊，日子就这样过得宁静而悠长！

不知不觉就到了八月底，东北大学马上就要开学了。

新婚夫妇在北京行了大婚拜祖礼节。稍事休息，梁思成先行赶赴沈阳筹组东北大学建筑系。这是中国大学里的第一个建筑学系，其他少数学校仅有建筑专业。林徽因抽空回福州老家，接母亲北上。在家乡，她特意看了父亲创办的福建法政专门学校，为另外两所中学的学生作了讲演。一次讲"建筑与文学"，一次讲"园林建筑艺术"。直到暑后开学，林徽因才和母亲一起到沈阳。

东北大学，这座白山黑水之间的学校，就是林徽因与梁思成开始实现梦想的地方。东北大学的前身是国立沈阳高等师范学校和公立沈阳文科专科学校，1923 年正式成立。张学良任校长，在原有文、法、理、工四个学科基础上成立

了文学院、法学院、理学院和工学院。其中，工学院创建了国内的第一个建筑系。建筑系招收了一个班四十多名学生，教员却只有两个：梁思成是系主任，教建筑设计和建筑史等课程；林徽因是教授，开设了美术装饰史和专业英文课。梁思成和林徽因夫妇二人怀着激动的心情开始了教学生活。

　　林徽因知识渊博，热情爽快，言谈幽默，因此她的课很受欢迎。林徽因还经常把学生带到昭陵和沈阳故宫去上课。以现存的古建筑作教具，讲建筑与美的关系。学生们还常常到两位老师家中探讨问题，时常讨论到半夜，这让夫妇二人欣慰不已。课余时间，徽因与思成也总是给学生们讲述自己留学时的趣闻，师生之间其乐融融。学生们喜欢这两位年轻的先生，也喜欢先生家中温暖的气氛。她就是这样，可以和你谈天说地，亲切得没有任何距离，但她的见识与才情又让人肃然起敬。

　　林徽因教过四十多个学生，其中走出了刘致平、刘鸿典、张镈、赵正之、陈绎勤这样一群日后建筑界的精英。堂弟林宣也是她的学生，晚年在西安冶金建筑学院担任教授。

　　那时东北时局很不稳定，外有日本人虎视眈眈，内有各路土匪昼伏夜出。社会治安相当混乱，由于校园处于城郊，土匪们从牧区进城，纵马飞奔经过校园。此时家家户户不敢亮灯，漆黑中弥漫着紧张气氛。林徽因后来曾对友人谈及他们这时期的生活："当时东北时局不太稳定，各派势力在争夺地盘。一到晚上经常有土匪出现———当地人称为胡子。他们多半从北部牧区下来。这种时候我们都不敢开灯，听着他们的马队在屋外奔驰而过，那气氛真是紧张。有时我们隔着窗子往外偷看，月光下的胡子们骑着骏马，披着红色的斗篷，奔驰而过，倒也十分罗曼蒂克。"

沈阳的古建筑不少，尤其多的是清代皇室陵寝。林徽因和梁思成教学之余进行了考察。他们对中国古建筑的了解仅仅是从课堂到书本，真正的实地考察工作是在沈阳起步的。建筑系教员第二年增添了生力军，来了梁思成的老同学陈植，还有童寯和蔡方荫。他们成立了"梁陈童蔡营造事务所"。林徽因虽没有挂名，可凡事总参与其中。和梁思成合作设计的"萧何园"，应该是她最初的实践。

当时东北大学校徽图案，应算是林徽因完全独立的设计作品。东北大学改组后，张学良亲任校长，公开悬赏征求校歌和校徽。林徽因的白山黑水图案设计夺得了头奖。它的整体图形是一具盾牌，其间巍峨耸立着皑皑白山，横流着滔滔黑水。为此，她得到四百元奖金。赵元任应征的歌词被选中作为校歌，得到了八百元奖金。这枚校徽配合着赵元任创作的校歌"白山高高，黑水滚滚，由此山川之危利，故生民质朴而雄豪……"，让东北大学的学子们感到了激昂振奋和自豪。

1928 年 12 月，林徽因和梁思成接到父亲梁启超突然病重的消息。两人就匆匆赶回北平，下车后直奔父亲所在的协和医院。见到父亲时，林徽因简直不敢相信自己的眼睛，一向精力充沛、意气风发的梁启超脸色苍白、形容枯槁，瘦

得不成样子。

看见一双小儿女，已经说不出话来的梁启超欣慰地笑了。不久，梁启超的病情继续恶化到了十分危险的地步。这时，刚从欧洲回到上海的徐志摩得知恩师病危，立即赶往北平探视。梁思成告诉他，由于病情十分危险，医生禁止亲人探视。徐志摩只好从门缝中看了老师最后一眼，看到曾经谈笑风生、指点天下的老师病得只剩下皮包着骨头，徐志摩黯然神伤，痛哭失声。

梁启超其他子女还在国外，不能及时赶回来。徽因就和思成日夜守候在病床前，无微不至地照顾着他。因为主刀手术的外科大夫在肾脏摘除手术中发生失误，没有仔细核对 X 光片，误将健康的肾切除。致使老人病情迅速恶化。1929 年 1 月 19 日下午，一代风云人物梁启超与世长辞，享年五十六岁。噩耗传开，全国震动，各界名流都前来祭悼。

梁启超一生崇尚墨家精义，自号"任公"，以天下为己任，博闻中外，砥砺学问，深研精义，革新社会文化，成为晚清及民初学术文化界的一面旗帜。他的人生选择和取向深刻地影响了他的儿女们。全国各大报纸开始刊载任公去世的消息并追忆其生平事迹。思想文化界知名人士纷纷著文追忆梁启超生平业绩，怀念先生的道德文章。美国史学期刊《美国历史评论》也刊发了文章："……就是这个年轻人，以非凡的精神活力和自成一格的文风，赢得全中国知识界领袖的头衔，并保留它一直到去世。表现在他的文风和他的思想里的这种能够跟上时代变迁的才华，可以说是由于他严格执行自己常常对人引用的格言：切勿犹疑以今日之我宣判昨日之我……"

而梁启超的去世带给思成与徽因巨大的伤痛。当时，徽因已经有孕在身。但她忍着巨大的伤痛和妊娠反应，与思成一起为父亲梁启超操办丧事，并完成了他们回国后设计的第一件作品：梁任公的墓碑。这座墓碑墓体、碑体均取材大理石，高 2.8 米，宽 1.7 米，呈中国建筑中的榫头几何形状，与传统的墓碑设计迥异。正面刻着"先考任公府君暨李夫人墓"，背面是九个子女的名字。整座墓碑庄严大气，古朴稳重，就像是梁启超一生的象征。

这个老人一生纵横政坛学界，风云激荡，著书无数。在儿孙们眼里却只是个宽仁慈爱的好父亲。在林徽因眼里，梁启超过去是父亲林长民志同道合的好朋友，现在是对她关爱备至、遮风挡雨的好父亲。一旦失去了梁启超细致入微的关切呵护，林徽因就必须与梁思成一起独立地面对人生中遇到的所有困厄。

半年后，梁思成和林徽因的第一个孩子诞生，夫妇俩为女儿取名"梁再冰"，以纪念离别不久的父亲。梁启超的书房叫"饮冰室"，他的著作叫《饮冰室文集》。

年轻的夫妻俩有了孩子，才深深体会到了为人父母的不易与辛劳。宝宝的一颦一笑、一举一动都牵动着徽因的心。襁褓中的宝宝十分容易受惊，一点儿动静就会使她啼哭不止。每一次宝宝有了动静，年轻的母亲都要忙上好一阵，她看着怀里小小的人儿，内心充满了母性的温暖和幸福。初为人母的林徽因感到自己正在变成一棵美丽的树，枝枝叶叶都在呵护着树上那正在绽放的花苞。那花苞就是那可爱的婴孩。

　　因为这一段时间的操劳，林徽因的肺病再次复发。医生说北方的气候已经不能让她好好地休养身体了，加上东北的战争局势动荡，东北大学已经处于风雨飘摇之中。梁思成考虑再三，尽管舍不得自己亲手创办起来的建筑系，但是以妻子和宝宝为重，在结束了一学期的课程之后，他于1931年偕妻子、女儿回到了北京。

　　回到北京的梁思成接受了"中国营造学社"社长朱启钤的邀请，成为了法式部主任，林徽因担任了学社的校理。"中国营造学社"是一个专门研究中国古代建筑的民间学术机构。他们在靠近东城墙的北总布胡同三号租了一个四合院。这里环境幽雅僻静，林徽因很是喜欢。就这样，在这个胡同里，徽因开始了他们相对平和稳定的生活。比邻而居的是清华大学哲学系的教授金岳霖。朋友们都亲切地称他为"老金"。

　　林徽因在这个简单宁静的小院中，开始了一段难忘的崭新生活……

事实上，梁思成与林徽因相处时，并非总是那么和谐。他们经常会因个性性格和爱好兴趣等原因产生一些不愉快。

林徽因与梁思成性格差异很大。在侄女吴荔明眼里："徽因舅妈非常美丽、聪明、活泼，善于和周围人搞好关系，但又常常锋芒毕露表现为自我中心。她放得开，使许多男孩子陶醉。思成舅舅相对起来比较刻板稳重，严肃而用功，但也有幽默感。"

在美国留学头一年，他们之间也曾经经历了感情的波折，有时竟爆发激烈的争吵。林徽因美丽、活泼、聪明，说得一口流利的英语，而且天生又善于和周围的人搞好关系。这使得她在美国这个开放国度里受到极大的欢迎。而梁思成则把时间大多投入到对专业的刻苦钻研中。

上大学的第一年，有一次星期天，林徽因在宿舍里给父亲写信。几个同学来邀请林徽因去野餐。活泼爱动的林徽因一口答应，但要去叫上梁思成。同学

们笑道："我们谁也请不动他，就看你的了。不如我们打个赌，如果你把他请来，今天外出就什么事都不要你做。"林徽因于是特意换了一身好看的衣服，高高兴兴地敲开梁思成的画室。

梁思成一抬头看到徽因，高兴地指着图纸说："徽因，你来看，这柱子已经在多大程度上克服了希腊早期建筑那种大方块式的呆板。柱基和柱顶过梁的一点点改变，就使十分稳固的建筑获得了极优美的仿生物体的动态。你再看这爱奥尼亚柱，柱式多么雅致，线条多么流畅，柱体凹槽的生硬被柱顶的涡卷形装饰大大抵消……"梁思成饶有兴趣地跟林徽因讲起了他正在研究的一处古建筑的结构，徽因一眼就看出，那是雅典帕特农神庙的圆柱和卫城的爱奥尼亚圆柱。徽因赞同地看着，点着头，等到梁思成说完，她讲起了今天的野餐计划，讲起了和同学打的赌，她说："你不能让我输给他们！"

梁思成这才注意到，林徽因穿了一双外出野餐的短皮靴，一顶遮阳帽斜斜地戴在头上，显得俏皮美丽。他迟疑了片刻，带着歉疚对林徽因说："今天我还有好些事要做，你还是自己去玩吧！下次咱们找个好地方一起出去。"

林徽因明白，今天已经没有可能把他从绘图板前拉开了。这样的事情已经不是第一次发生了。她只好失望地独自走了。

在宾大的这段时间，梁思成和林徽因经历了一段感情上的挣扎，有时甚至会爆发争吵。因为他们有过"非正式的订婚关系"，梁思成觉得自己对林徽因有责任，所以总想管管她。由于不满意她过多的社交而想限制她的活动时，林徽因觉得自己应当享受更加充分的自由，就总是努力挣脱梁思成的种种管束。于是两人间的冲突和争吵不可避免。

那段日子梁思成是极度痛苦的。梁启超把孩子们的争吵描述给女儿听："今年思成和徽因已在佛家的地狱里呆了好几个月。他们要闯过刀山剑林，这种人间地狱比真正地狱里的十三拷问室还要可怕。但是如果能改过自新，惩罚之后便是天堂。"

这是他俩必须经历但必定安然度过的痛苦磨合期。由此，梁思成懂得了男人必须学会宽容。林徽因与那些温良恭敬的传统女性根本不同。她是受过高等教育的知识女性，有独立的人格和自由。任何人都不可能以任何名义限制她的自由。而爱更需要有足够的空间和时间，才能茁壮的成长。爱不是牺牲，不是占有；爱更应是一种成全。拥有爱情的时候，要让对方自由；失去爱情的时候，更要让对方自由。爱就像风筝一样，你要给它飞翔自由，也要懂得适时把它拉回来。没有自由的爱情，也会慢慢趋向自然死亡。

对于林徽因这位个性鲜明、深受西方文化熏陶的未婚妻，不如顺其自然，给她自由。如果不想失去这份感情，他唯一的选择是信任。和林徽因在一起，梁思成慢慢培养了一种炼出了一门独家功夫——宽容和耐心。梁思成每去女生宿舍约会，总是心情急切；爱打扮的林徽因，面容、发式、衣袜，哪处都不肯草率，迟迟下不得楼来，经常叫梁思成等个二三十分钟。弟弟思永为此写了一副对子调侃他们："林小姐千装万扮始出来；梁公子一等再等终成配。"横批是"诚心诚意"。那时，同在美国留学的顾毓琇说："思成能赢得她的芳心，连我们这些同学都为之自豪，要知道她的慕求者之多有如过江之鲫，竞争可谓激烈

异常。"

他不再反对林徽因与别的男人交往，不反对徐志摩在家中进进出出，不反对与金岳霖毗邻而居，热情为"太太的客厅"服务，徐志摩去世时，他给林徽因带回了一块飞机残骸上烧焦的木片作为纪念品，将它悬挂在卧室正中央……

梁思成的这种宽容与温和，给妻子绝对的信任，正是林徽因特别欣赏他的地方。

林徽因个性是复杂多变的，情绪也常常起伏变幻不定。

后来，她在和梁思成一起野外考察时常常有这样的情形：体力的透支和恶劣的环境使林徽因的心情坏透了，她抱怨批评落后的社会，诅咒糟糕的道路和天气，嘲笑阎锡山在山西境内铺设的可笑的窄轨铁路……还有那些不顾他们的考察计划，宣称每三个小时必须停下来休息吃饭的脚夫，为了一点小钱把寺院壁画撕下来卖给外国人的猥琐僧人……这一切都让徽因情绪反应激烈。

人们面对情绪激动的林徽因，常常不知道该怎么办才好。这个急躁激动的徽因和那个快乐优雅的徽因简直判若两人。她仿佛要把情感消耗到极致才能使自己复归平静。不安时，她所思所想全是不安；悲伤时，她的心中充溢着悲伤；当然，看到美丽的景色，发现了珍贵的建筑时，她的喜悦同样强烈而富于感染力。

好友费慰梅间经描述，林徽因就像一团带电的云，挟裹着空气中的电流，放射着耀眼的火花。如果她性格中没有了这些特征，那么，林徽因将不是林徽因，而只剩下一个不真实的、飘渺的幻影。最了解林徽因的当然是梁思成。每当徽因情绪反应激烈的时候，梁思成总是专注地、坚定不移地按既定计划做事。他的豁达、包容和幽默是最好的镇静剂。很快，徽因烦乱的心境就会恢复平静。一如既往地继续开始行动。

林徽因好使性子而梁思成善于隐忍，亲戚戏称梁思成是冒烟出气的"烟囱"。但是烟囱偶尔会堵塞便会起争执。一九三六年初，两口子发生过一次激烈争吵，梁思成随即乘火车南下上海办事。林徽因在家伤心痛哭了二十四小时，中间只睡过三四个钟头。没想到梁思成在火车上连发两个电报，同时还寄来了一封信。林徽因对此的体会是："在夫妇中间为着相爱纠纷自然痛苦，不过那种痛苦也是夹着极端丰富的幸福在内的。"他们争吵，因为彼此在乎。林徽因致沈从文信中就认为，"冷漠不关心的夫妇结合才是真正的悲剧。"

正因为如此，梁林的婚姻是美满的。即使在日常生活中，他们也充满了情趣。有时夫妇俩比记忆，互相考测，哪座雕塑原座何处石窟、哪行诗句出自谁的诗集，那甜美的家庭文化氛围总会令人产生李清照、赵明诚在世的感受。后来，哪怕在抗战时期落在极度艰苦的境地，梁、林夫妇都始终相扶相携，相濡以沫。

因个性迥异而引起冲突，一般男人往往能以宽容和忍耐来化解。但是有些事情仅仅宽容是不够的。在这一方面，博学多识的梁思成显示出一种非凡的胸怀，甚至是一种君子般的人格风范。

　　林徽因一生中追求者不断。从伦敦相遇到济南坠机，徐志摩对林徽因的倾慕从未改变。甚至为林徽因不惜与张幼仪离婚。在梁思成与林徽因之间，他始终都是个强有力的存在。他的情感来得是那么直接，热烈，也富于魅力。

　　1931 年 11 月 19 日，徐志摩搭乘的飞机撞山失事。在胡适家等消息的林徽因，得到确切通知，失声痛哭。梁思成、金岳霖、张奚若赶到出事现场。林徽因连夜赶制了一个用碧绿铁树叶和白花编成的径尺大小的花圈，由梁思成带往济南。梁思成从济南回北平时，带了一块飞机残骸。林徽因一直将它挂在床前。林徽因对徐志摩的怀念也从未停止。林徽因的许多诗都与志摩有关。然而梁思成始终相信妻子，相信彼此的感情，显得绅士风度十足。对他而言，爱不是占有，爱是付出，爱是成全。婚姻是个天长地久的承诺，与其猜忌防范，不如敞开心扉，坦诚相待。

　　梁思成是非常爱妻子的，是绝对不愿意失去她的。但是生活每每都会有意外，有时甚至是对婚姻本身很致命的"外遇"事件。那更是对一个男人气量风度的考验。1932 年 6 月，徐志摩刚去世半年多，梁思成外出考察古建筑，林徽因留居北平。梁思成回来后，林徽因十分苦恼地对他说："自己同时爱上了两个人，不知该如何取舍。"原来，在梁思成外出考察期间，她爱上了哲学家、现代逻辑学教授金岳霖，陷入苦闷中。听了妻子的话，梁思成半天都说不出话来，全身的血液凝固住了，连呼吸都困难了。但他一面感到痛苦，一面又感欣慰，欣慰的是妻子对自己很坦诚。当天晚上彻夜未眠，想了一整夜，他把自己和金岳霖比了又比，一个劲儿地问自己："徽因到底和谁在一起会比较幸福？"他虽然自知在文学、艺术上都有一定修养，但金岳霖那哲学家的头脑，是自己无论如何都比不了的。他决定把抉择权完全交给妻子。

第二天清晨，他对她说："真正的爱，唯愿所爱的人得到幸福。你是自由的，如果你挑选金岳霖，我将祝你们永远幸福！"当时两个人都哭了。后来，林徽因将这话向金岳霖原原本本复述了一遍，没想到这位同样高尚脱俗的逻辑学教授竟选择了弃权："看来思成是真正爱你的。我不能去伤害一个真正爱你的人。我应该退出。"

梁思成的君子之风获得了同样是君子的金岳霖的尊重。从此以后，他们三人绝口不提此事，坦诚相待，和好如初。他对妻子的温和、信任与宽容，也深深感动了林徽因。她说：你给了我生命中不能承受之重，我将用我一生来偿还！

对于妻子林徽因，梁思成曾诙谐地对朋友说：梁思成后来在一次闲谈中曾对人说："林徽因是个很特别的人，她的才华是多方面的。不管是文学、艺术、建筑乃至哲学她都有很深的修养。她能作为一个严谨的科学工作者，和我一同到村野僻壤去调查古建筑，测量平面爬梁上柱，做精确的分析比较；又能和徐志摩一起，用英语探讨英国古典文学或我国新诗创作。她具有哲学家的思维和高度概括事物的能力。"他又笑了笑诙谐地说："所以做她的丈夫很不容易。中国有句俗话，'文章是自己的好，老婆是人家的好'。可是对我来说，老婆是自己的好，文章是老婆的好。"

林徽因写诗常常在晚上，还要点上一柱清香，摆一瓶插花，穿一袭白绸睡

袍，面对庭中一池荷叶，在清风飘飘中吟哦酿制佳作。她对自己那一身打扮和形象得意至极，说："我要是个男的，看一眼就会晕倒"一边的梁思成却逗她道："我看了就没晕倒。"林徽因笑着嗔怪梁思成不会欣赏她，太理智了。两口子打情骂俏，情浓似蜜，让一旁的外人看了羡慕不已。

结婚之前，梁思成曾问过林徽因："为什么是我？"林徽因答道："答案很长，我得用一生去回答你。"与梁思成婚后，林徽因为支持丈夫，放弃文学，主攻建筑。而梁思成对爱妻珍若拱璧，挚爱一生。

有人说，梁思成就像一个宏大的结构和支撑，是坚实的基础和梁柱，林徽因就是灵动的飞檐、精致的雕刻、美丽的阑额，他们两个的组合就成为一个艺术品。如果光有厚重，那么就失去了艺术的飞扬，灵动；如果光有灵动和轻盈，就失去了艺术的坚实和厚重。他们是真正的绝配！

梁思成的胸怀和大度，成就了一个至情至性的林徽因。一路走来，他们始终不曾别离，相互扶持。林徽因和梁思成有很多合照，只要有梁思成在身边，林徽因总是笑得那么开心，那样从容。

滚滚红尘，心安便是最美。身边有你，纵使天荒地老又如何？

一　生　盛　放　如　莲　花

我说你是人间的四月天；
笑响点亮了四面风；轻灵
在春的光艳中交舞着变。

你是四月早天里的云烟，
黄昏吹着风的软，星子在
无意中闪，细雨点洒在花前。

那轻，那婷婷，你是，鲜妍

百花的冠冕你戴着，你是

天真，庄严，你是夜夜的月圆。

雪化后那片鹅黄，你像；新鲜

初放芽的绿，你是；柔嫩喜悦

水光浮动着你梦期待中白莲。

一 生 盛 放 如 莲 花

第四卷

我心永恒：哲学家的柏拉图式爱情

流年似水，浮生若梦。爱是流年里不老的风景。人生相知相惜的那一刻，时光会驻足，繁花会盛开。

"道超青牛，论高白马。"

这是一个哲学家的爱情故事。故事的主人公叫做金岳霖，字龙荪，生于湖南长沙，在清华大学号称"清华三荪"之一。

据说金岳霖自幼就天赋异禀，聪明异常，有一次居然在梦中背四书。因此他小小年纪就考进了清华。1914 年毕业于清华学校，后留学美国、英国，又游学欧洲诸国近十年，所学专业由经济政治转为许多人看来枯燥无味的哲学。他按照当时风行的"清华、放洋、清华"的人生模式，于欧洲归国后执教于清华大学，转了一圈又回到了起点。

回国后，金岳霖在哲学系当系主任。这个系最初只有一位老师，就是他金岳霖。也只有一位学生，就是沈有鼎。那时候，他只有三十出头。可以说，他是现代中国哲学和逻辑学的开创者和传播者，第一个在中国系统地介绍西方逻

辑学，也是第一个运用西方哲学的方法融会中国哲学的精神，建立自己完备哲学体系。

在外人看来，逻辑、哲学等学问枯燥乏味，了无乐趣，研究起来肯定是一个苦事。在西南联大时，金岳霖的学生问他为什么要研究逻辑。金岳霖回答出人意料："我觉得它很好玩。"在金岳霖看来，逻辑、哲学等学问非但不枯燥乏味，反而乐趣满满，"好玩"成了金岳霖痴迷于哲学、逻辑学的唯一动力。

好友徐志摩这样形容金岳霖研究逻辑学、哲学时的精神状态："金先生的嗜好是捡起一根名词的头发，耐心地拿在手里给分。他可以暂时不吃饭，但这头发丝粗得怪讨厌的，非给它劈开了不得舒服……"这位诗人描述金岳霖对哲学研究的痴迷程度，颇为传神。金岳霖自己也说："世界上似乎有很多的哲学动物，我自己也是一个，就是把他们放在监牢里做苦工，他们脑子里仍然是满脑子的哲学问题。"

金岳霖比梁思成大六岁，比林徽因大九岁。由于受欧美文化的熏陶，金岳霖的生活已相当西化。重返清华后的金岳霖永远是腰板笔挺，西装革履，皮鞋擦得油光可鉴，上面绝对不会有一粒灰尘。夏天穿短裤还一定要穿长筒袜，因为在当时看来，高贵的男士穿短裤一定要穿长袜。加上一米八几的高个头，可谓仪表堂堂，极富绅士风度。而超然物外，视名利金钱如粪土，是金岳霖的典型名士气特性。

他的一个学生这样回忆：金先生身材高大，仪表端庄，有时西服革履，执手杖，戴墨镜，一副英国绅士派头；有时着运动衫，穿短裤，球鞋，举手抬足像一个训练有素的运动员；有时在西装外面套个中式长袍，戴个老八路的棉军帽……

金岳霖早年留学学政治学，对政治学理论有独到的见解。他的博士论文在半个世纪以后仍有国外学者在引用。他精通英文，平时用英文思考哲学问题。他能准确地分辨出英国不同地区的发音，他用英文写的散文曾被大学外语系选作范文。他喜欢诗词，不仅能背诵许许多多古代诗词名篇，还能对古代诗词作品作出令方家叹服的评论。他擅作对联，常把朋友的名字嵌入联中，天然浑成，令人叫绝。他对绘画有很高的鉴赏力，尤其对山水画的布局和意境问题有深刻的理解。

金岳霖还酷爱京剧，家中收藏许多名角的唱片。他说看看唱片仿佛就听到了声音，他自己也能唱。他爱好打网球，穿着高档的网球运动员服很像专业运动员，当年曾在巴黎一次留学生网球比赛中荣获亚军。他还参加过级别很高的斗蛐蛐比赛，用一只九厘八的红牙黑打败了一分重的名星翅子。他认为斗蛐蛐涉及高度的技术、艺术和科学。他还是一位美食家，能对中国菜以及英法德意美等国菜的不同特点说得头头是道，能分辨出许多种不同的甜，而他最为欣赏的是"杂在别的东西里面的甜"。

在逻辑和哲学天地里，金岳霖是逻辑思维异常清晰、哲理分析能力特别强的人；而一旦离开这块天地，他则有如孩子般天真单纯。由于老金在日常生活

中名士气或书呆子气太重，在当时的北平学术界流传着许多令人捧腹的趣事。

1925 年 11 月，金岳霖回国，他的美国女朋友"秦丽莲"（LilianTaylor）也随同来到北京。她倡导试婚，对中国的家庭生活充满兴趣，愿意从家庭内部体验感情生活。1926 年，经赵元任介绍，金岳霖到清华接替教席。他不住在校内，而是与秦丽莲住在北平城内。

那时，金岳霖酷爱养大斗鸡，屋角还摆着许多蛐蛐缸。吃饭时，大斗鸡堂而皇之地伸脖啄食桌上菜肴，他竟安之若泰，与鸡平等共餐。有一天，金岳霖忽然给赵元任家打了一个电话，说是家里出了事，请在日本学过妇产科专业的赵太太杨步伟赶快过来帮帮忙。杨步伟问有什么事，金岳霖说非请你来一趟不可，越快越好，事办好了请你们吃烤鸭。当时，随同金岳霖一同回国的还有他的同居女友泰丽莲。据说这位洋小姐"倡导不结婚，但对中国的家庭生活很感兴趣，愿意从家庭内部体验家庭生活"。于是杨步伟猜想是老金的女友秦丽莲怀孕了想打胎，便回金岳霖说犯法的事情自己可不做。金岳霖说大约不犯法的吧。

待杨步伟和赵元任两个人赶到金岳霖家，是泰丽莲小姐来开的门。杨步伟便使劲儿地盯着她看，金岳霖迎出来说："赵太太你真来了，我可放心了。"杨步伟问有什么要紧事。金岳霖一本正经地告诉她，他有一只母鸡，有个蛋三天生不下来，现在难受得满园子乱跑，请杨动手术给取下来。赵元任夫妇听了真是又好气又好笑。等把鸡捉来一看，沉沉的身子竟然有十八磅重。那个罕见的超重大鸡蛋卡在鸡尾后，已有一半露在外面。杨步伟稍稍用手一掏就万事大吉了。而那掏出来的鸡蛋大得已经像一个葫芦了。金岳霖先生见状愁眉方才舒展开来，如释重负。他说自己天天给它喂鱼肝油。杨步伟大笑说鸡也和人一样，有孕时吃得太多太油，胎儿太大就难产。母鸡的主人金岳霖先生赞叹杨步伟的妙手回春，坚持要送她一块匾。杨步伟要他不要胡闹，几个人于是大吃了一顿烤鸭。

最让人忍俊不禁的是，他居然会忘记自己的名字。据金岳霖自己回忆说："有一次，我打电话给陶孟和，他的服务员问'您哪儿'。我忘了，答不出来，我说不管它，请陶先生说话就行了。我不好意思说我忘了。可是那位服务员说'不行'。我请求两三次，还是不行。我只好请教于王喜，他是给我拉东洋车的。他说：'我不知道。'我说：'你没有听见人说过？'他说：'只听见人家叫金博士。'一个'金'字就提醒我了。"后来，金岳霖听人说潘梓年在重庆时要给人签名，一下子恍惚记不起自己的姓名。旁边有人告诉他姓潘，可光一个姓还不足以提醒他，潘梓年又大声问："阿里个潘呀？"是说潘什么呀？金岳霖先生闻听此事，不禁释然，原来还有比自己糊涂得更厉害的人。

金岳霖是研究哲学的，但是他看了很多小说，从普鲁斯特到福尔摩斯都看。他很爱看平江不肖生的《江湖奇侠传》。西南联大时期，有几个联大同学住在昆明金鸡巷，楼上有一间小客厅。沈从文就在那里办文学讲座。有时，他会拉一个熟人去给少数爱好文学、写写东西的同学讲一讲。有一次金岳霖也被拉去搞讲座。他讲的题目是《小说和哲学》。题目是沈从文先生给他出的。大家以为金先生一定会讲出一番道理。不料金岳霖讲了半天，结论却是小说和哲

学没有关系。有人问：那么《红楼梦》呢？金先生说："红楼梦里的哲学不是哲学。"他讲着讲着，忽然停下来："对不起，我这里有个小动物。"他把右手伸进后脖颈，捉出了一个跳蚤，捏在手指里看看，甚为得意。一时间，满座为之莞尔一笑。

西南联大时期，金岳霖仍在继续自己的学术研究。他的学术著述不多，仅有《逻辑》《论道》《罗素哲学批判》和《知识论》等寥寥几种。但其著作的学术含量之高、学术体系之完备、原创思想之丰富世所罕见。他最早的一本书《逻辑》出版后，哲学家贺麟誉之为"国内唯一具新水准之逻辑教本"。早年曾在西南联大求学过的逻辑学家殷海光与金岳霖有师生之谊。他读过后赞誉说："此书一出，直如彗星临空，光芒万丈！"有一次，殷海光和人聊天，看到桌子上放着一本《逻辑》，立即拿起此书说："就拿这本书来说吧！这是中国人写的第一本高水平的现代逻辑。也仅仅就这本书来说吧，真是增一字则多，减一字则少！"突然，他把这本书往桌上重重一扔发出"嗙"地一声，说："你听，真是掷地作金石声！"

在一个静寂的黄昏，殷海光随金岳霖散步时，说现在各派思潮的宣传都很凶，不知哪派是真理。金岳霖稍作沉思说道："掀起一个时代的人兴奋的，都未必可靠，也未必能持久。"殷问："那么什么才是比较持久而可靠的思想呢？"答曰："经过自己长久努力思考出来的东西……比如说，休谟、康德、罗素等人的思想。"这句话成为照亮殷海光后半生的明灯。

后来远走海外的学者殷海光，曾这样描述当年恩师金岳霖对他的深刻影响：

"在这样的氛围里我忽然碰见业师金岳霖先生。真像浓雾里看见太阳！这对我一辈子在思想上的影响太具决定作用了。他不仅是一位教逻辑和英国经验论的教授并且是一位道德感极强烈的知识分子。昆明七年教诲严峻的论断以及道德意识的呼唤，现在回想起来，实在铸造了我的性格和思想生命。"

金岳霖后来又精心写作了《知识论》，这是他穷尽毕生心血完成的力作。书成后，金岳霖异常宝爱。有一次他跑警报，特地把书稿也带上，而且席地坐在书稿上。直到天黑，警报才解除，他这才回去。回来一想：坏了，书稿丢了！再回去，掘地三尺地找，可就是找不见了。金岳霖绝望了，他痛不欲生，可是他也不能就此轻生呀！后来，他终于平心静气，咬咬牙，居然又把这几十万字的东西重写了出来。

新中国成立后，哲学家张岱年碰见金岳霖，问："《知识论》可曾写好？"金答曰："书写好了，我写了这本书，我可以死矣。"近四十年之后的1983年，此书终获出版。而金岳霖已近生命之终点。他说："《知识论》是一本多灾多难的书……是我花精力最多、时间最长的一本书，它今天能够正式出版，我非常非常之高兴。"《知识论》在中国哲学史上首次构建了完整的知识论体系，这一哲学体系不仅是中国现代哲学的重大收获，也是民族哲学的翘楚。冯友兰的评语则是："道超青牛，论高白马。""青牛"自然是指道家始祖老子李耳，他曾骑青牛西行，著五千言《道德经》而去。"白马"指名家的公孙龙，以"白马非马"的的逻辑诡辩著称。冯友兰这里是称赞金岳霖的学术水准，超越了历史上的那些先贤大哲。学者张申府曾这样评价金岳霖对中国哲学发展的巨大贡献：

"在中国哲学界以金岳霖先生为第一人。"

哲学家冯友兰回忆上个世纪30年代的金岳霖时，认为他才是真正深得魏晋风流的人物："金先生的风度很像魏晋大玄学家嵇康。嵇康的特点是'越名教而任自然'，天真烂漫，率性而行；思想清楚，逻辑性强；欣赏艺术，审美感高。我认为，金先生是嵇康风度在现代的影子。"

"雪满山中高士卧，月明林下美人来。"

——（明）高启

在所有关于金岳霖的轶闻趣事中，最引人注目的一件事是他终生未娶。人们对此的解释相当一致：他一直恋着建筑学家、诗人林徽因。他们的故事最奇特和精彩的地方，就是金岳霖的"逐林而居"。

1931 年，金岳霖在徐志摩的引荐下，敲开了北总布胡同那扇门，见到了京城"四大美女"之一、徐志摩曾为之如痴如醉的人物——林徽因。因为感到十分投缘，金岳霖就搬到了梁林一家的后罩房，亦即北总布胡同 12 号，开始了他二十余年"逐林而居"的生活。

老金是 1932 年搬到北总布胡同与梁家同住在一处的。后院很小，没有什么树。金岳霖种了一棵姚黄。仲春时节，姚黄开得灿烂如火。老金把最大的一

间南房当做客厅，客厅靠北墙摆放着八个大书架，书架上以英文书居多。客厅南面围着一圈沙发，墙上挂着邓叔存作的水墨山水。老金有一个洋车夫，一个会做西餐的厨师。在他这里，朋友们喝咖啡，吃冰淇淋。咖啡是老金特地吩咐厨师按朋友们的口味做出来的。因为老金是湖南人，朋友们笑称这里为"湖南饭店"。

按老金的说法："他们住前院，大院；我住后院，小院。前后院都单门独户。三十年代，一些朋友每个星期六有集会，这些集会都是在我的小院里进行的。因为我是单身汉，我那时吃洋菜。除了请了一个拉东洋车的外，还请了一个西式厨师。'星期六碰头会'吃的咖啡冰激凌和喝的咖啡都是我的厨师按我要求的浓度做出来的。除早饭在我自己家吃外，我的中饭、晚饭大都搬到前院和梁家一起吃。这样的生活一直维持到'七七事变'为止。抗战以后，一有机会，我就住在他们家。"这段话是老金晚年的回忆，并自称"一离开梁家，就像丢了魂似的"。

梁林一家与老金之间，文化背景相同，志趣相投，交情也就自然地非寻常人可比。这个"太太客厅"里，哲学家金岳霖先生是每天风雨无阻，总是在三点半到梁家。始终是梁家沙龙中的座上常客。他就住在隔壁一间小屋子里。梁氏夫妇的客厅有一扇小门，穿过"老金"的小院子就到了他的屋子。他常常穿过这扇门，参加梁氏夫妇的客厅聚会。一到就开始为林徽因诵读各种读物，绝大部分是英文书籍，内容有哲学、美学、城市规划、建筑理论及英文版的恩格斯著作等。他们常常在诵读的过程中一起热烈讨论。就是在这种交往中，金岳霖对林徽因的人品才华赞美至极，十分呵护。而林徽因对老金也十分钦佩敬爱，他们之间的心灵沟通达到了只可意会、不可言传的境界。

林徽因为何具有吸引力？老金在写给费正清夫妇的信中说：

"年轻人来这里倾听一位女子的妙语连珠，

人所共知她的爽直前卫，拥有天赋天分和聪明，

她激情无限、创造力无限，

她的诗意，她敏锐的感受力和鉴赏力，

总之，人所渴求的她应有尽有，

除却学究气。

学究气的反面是丰富多彩，

一个人的学究气越重就越丧失色彩。

我宁愿自己更富于色彩，

看看徽因是多么丰富多彩，

而可怜的我！

如此苍白，彻头彻尾的苍白！"

暮年金岳霖谈到林徽因，是这样一种不灭的印象："林徽因这个人了不起啊，她写了篇叫《窗子以外》的文章，还有《在九十九度中》，那完全是反映劳动人民境况的，她的感觉比我们快多了。她有多方面的才能，在建筑设计上也

很有才干，参加过国徽和人民英雄纪念碑设计，不要抹杀了她其他方面的创作啊……"

林徽因就是这样一个无论到哪里都闪烁着光芒的女人，当然这光芒远远不限于她的美丽、多彩、博学，更多的是她能穿透你内心对这个世界的认识：

> "我认为最愉快的事情都是一闪亮的，
>
> 在一段较短的时间迸出神奇的如同两个人透彻的了解，
>
> 一句话打到你心里，
>
> 使得你的理智和情感，
>
> 全觉到一万万分满足；
>
> 如同相爱，
>
> 在一个时候里，
>
> 你同你自身以外另一个人，
>
> 互相以彼此存在为极端的幸福；
>
> 如同恋爱，
>
> 在那时那刻，眼所见，耳所听，心所触，
>
> 无所不是美丽，
>
> 情感如诗歌自由的流动，
>
> 如花香那样不知其所以。"

胡适曾这样说过："志摩的人生观是一种单纯信仰，这里面有三个大字：一个是爱，一个是自由，一个是美。"林徽因恰恰把这三者水乳般地交融成完整的一体。也许正是如此，她欣赏老金的幽默、真诚、博学；老金爱慕她的睿智、灵慧、美丽。以致最后心心相印、难舍难离。

正如前文所述，大概是 1932 年夏天，有一天梁思成从河北宝坻考察古建筑回来，林徽因神色痛苦地说：思成，我痛苦极了，我现在同时爱上了两个人，我拿不定主意，不知道该怎样办才好。她和梁思成谈话时，一点不像妻子和丈夫，却像个小妹妹在请哥哥拿主意。梁思成听到这事，半天说不出话，一种无法形容的痛楚让他感到血液凝固了，连呼吸都困难。但是，他也感谢妻子的信任和坦白。

后来，三人毫无芥蒂，终生为友。梁思成、林徽因吵架，总是找理性冷静的金岳霖仲裁。甚至林徽因和母亲有了矛盾，也要找老金来理一理。因为金岳霖总是那么冷静理性，能够把他们因为情绪激动而搞糊涂了的问题分析得清清楚楚。

大约 1936 年的一天早晨，金岳霖正在书房里做研究。忽然，他听见天空中有一声男低音叫道："老金"，赶快跑出院子去看。梁思成和林徽因正站在正房屋顶上，看着他哈哈大笑。金岳霖生怕他们掉下来，就喊道："你们给我赶快下来。"他们又大笑了一阵下来了。金岳霖常常看到梁思成为了古建筑上某

个数据而在房顶上上下下搞测量，就为梁林夫妇编了一副对联："梁上君子，林下美人。"

"梁上君子"是反话正用，这里自然是指常常攀楼登塔搞调查测绘的梁思成了。这"林下美人"原本指的是东晋才女谢道韫，有咏絮之才，其人曾被品评有恬淡萧散的"林下风致"。明代高启有赞美梅花的诗句："雪满山中高士卧，月明林下美人来。"可见金岳霖有心赞美林徽因是才女，象梅花一样美丽高洁。这"林下美人"，还让人想起《红楼梦》里那位"玉带林中挂"的林黛玉。不幸的是，后来林徽因和林黛玉得的竟是一样的"女儿痨"。

当时，梁思成听了这两句对联很高兴，评说道："很好呵，不然我怎么才能打开一条新的研究道路，岂不是纸上谈兵了吗？"可林徽因并不领情："真讨厌，什么美人不美人，好像一个女人没有什么可做似的。我还有好些事要做呢！"金岳霖听了大为钦服，连连鼓掌。

此后，金岳霖就过起了游牧民族的生活。游牧民族是逐水草而居，而金教授一直是逐"林"而居，长期跟着梁、林一家作邻居。在北平总布胡同三号，他住在梁林一家旁边。两家有小门相通。那边的林徽因有"太太客厅"，这边的老金有"湖南饭店"。

1937 年，卢沟桥事变后，北平、天津沦陷，梁思成、林徽因夫妇和当时的许多知识分子一样被迫离开古都北平，迁往云南昆明、蒙自两地。所有内迁学校集体联合办学，改称"国立西南联合大学"，简称"西南联大"。梁林夫妇在昆明北郊龙泉镇棕皮营设计建造了一所住房。金岳霖靠着梁家主屋一面墙，搭建了一间耳房。云南人叫"偏厦"，比正屋低矮一些，面积不足十平方米。最让人惊诧的不是这间屋子的矮小，而是它没有独立外开的门。也就是说，金岳霖每次出入必须穿过梁家的主客厅。

金岳霖与梁思成、林徽因夫妇以及他们的孩子生活在同一个屋檐下，已俨然是这个家庭中的一员。林徽因曾经在致好友费慰梅的信中说："这个春天，老金在我们房子的一边添盖了一间耳房，这样，整个北总布胡同集体就原封不动地搬到了这里。"

后来，梁思成、林徽因夫妇迁往四川南溪县李庄。金岳霖还留在昆明西南联大教书。借休假的机会，他由云南一路跋山涉水，来到李庄看望梁、林夫妇。没想到才短短几个月，林徽因患肺病经常不得不卧病在床，已经形销骨立，面容苍白，不复是当年那个风华绝代的女子。

为了让林徽因尽早恢复健康，金岳霖到市场上买来十几只刚刚孵出的小鸡，在门前一块小小的空地上喂养起来。盼望着它们生下蛋来，好给林徽因补养身体。老金是文化圈内知名的养鸡能手。早在北总布胡同时代，他就养着几只大斗鸡，并有同桌就餐的经历。当然也有请杨医生"助产"的笑话。到了昆明后，当时在西南联大读书的汪曾祺也回忆："金先生是个单身汉，无儿无女，但是过得自得其乐。他养了一只很大的斗鸡，这只斗鸡能把脖子伸上来，和金先生一个桌子吃饭。"林徽因的儿子梁从诫也有很深的印象：在昆明的时候，"金爸在的时候老是坐在屋里写呀写的。不写的时候就在院子里用玉米喂他养的一大群

鸡。有一次说是鸡闹病了，他就把大蒜整瓣地塞进鸡口里。它们吞的时候总是伸长了脖子，眼睛瞪得老大，我觉得很可怜"。

果然，金岳霖在李庄集镇上买来的十几只鸡长势很好，不但没生病，后来还开始下蛋了。这让难得吃到鸡蛋的人们十分开心。

那时，梁思成和林徽因正在写作《中国建筑史》。老金也借营造学社的一张白木桌子，开始重新写他那部煌煌巨著《知识论》。每天下午三点半，他们便放下手中的工作，弄一个茶壶喝起下午茶来。病中的林徽因也把行军床搬到院内，与大家一道喝茶聊天。老金便雷打不动地出现在林徽因的病榻前，或者端上一杯热茶，或者送去一块蛋糕，或者念上一段文字，然后带两个孩子去玩耍。

金岳霖打了一辈子单身。他爱着林徽因，也爱着林徽因的全家，他后来几乎一直和梁家住在一起。晚年，他与林徽因之子共同生活，颐养天年。他在回忆录中说，梁思成和林徽因是他人生中最好的朋友。其实，在金岳霖心中，林徽因已经超越了朋友的域限，成为完美女性的象征。而在林徽因心中，金岳霖也不仅仅是个好朋友，而成为家庭编外的一分子，精神上的知己。

梁林金三个人如是平静地相处相知，倏忽就是数十年，最后直到生死的力量把三人分开。颇有点像小说里的传奇故事。金岳霖终生未娶以待徽因。而林徽因红颜早逝，梁思成死于文革动荡，独留金岳霖成为一个孤独的骑士和爱情行旅。

在金岳霖心里，林徽因就是八十岁了，还是他眼里那个白衣翩翩的花季女子，清新超逸，美丽的无与伦比。这一世，她那风华绝代的身影，自红尘深处涉水而过，轻轻停靠在他的身边，仿佛痴守着那一窗摇曳的灯火。她的目光永远沉静如秋水，深湛如晴空。

"庄生晓梦迷蝴蝶，望帝春心托杜鹃"。那曾经是世界上最独特的三人行，那世间耳语相传的永恒风景，已经渐成传奇，渐成绝响。

这也许就是大师的人格力量。

梁思成，林徽因和金岳霖，他们每个人的学识、涵养和人格使得这种情感问题处理得很妥当，达到一种令人饮佩的平衡与和谐。林徽因身上有着生性敏感的诗人气质，让她容易动情。可是，她本性善良加上清醒的理智，让她不可能做伤害梁思成的事情，也不可能轻易辜负纯洁的感情。梁思成更是坦荡君子，相信妻子和朋友，因此表现出难得的气量和风度。最难能可贵的是金岳霖。他深深地爱了林徽因一辈子，发乎情止乎礼，终身未娶。他一辈子都站在离林徽因不远的地方，默默关注她的尘世沧桑，苦苦相随她的生命悲喜。静静地付出，默默地守候。不奢望走近，也不祈求拥有；即便知道根本不会有结果，也仍然执着不悔。理性、克制、温和，毕生一以贯之。

世间精于理者未必不深于情。在金岳霖那里，爱情无疑是一种使人向善、向上的圣洁力量。这不禁让人想起柏拉图的那句话："理性是灵魂中最高贵的因素。"

有人曾说男人和女人之间没有真正意义上的友情可言。其实，这男女"友情"也许比较暧昧、比较模糊，无法完全准确地拿捏。但是，理性与信任无疑

是这种友情得以存在前提。当事人内心的坦诚、包容，使得他们能够泰然镇定、理智从容地对待这种感情。他们都曾经历过年少的痴狂，青春的懵懂。慢慢明白岁月一去不复返，人生要学会珍惜，懂得感恩。用一颗安恬淡定的心与岁月对饮，让生命因为懂得而更加的厚重，隽永。

于是，这一辈子就这样淡淡地走向尽头。回头看见的是夕阳，还有身后那个人熟悉的脸庞。她能给与你的，只能是一个懂你的微笑。然后就是寂灭。

流年似水，浮生若梦。爱是流年里不老的风景。人生相知相惜的那一刻，时光会驻足，繁花会盛开。

"人世间有百媚千红，我独爱你那一种。"

1955 年 4 月 2 日，林徽因因病辞世，一向冷静而理智的金岳霖悲痛万分。

第二天，适逢他的一个学生到办公室看他，金岳霖先不说话。当整间办公室只剩下他们两个人时，金岳霖先是沉默，后来突然说："林徽因走了！"一边说，一边就嚎啕大哭。那位学生后来回忆说："他两只胳臂靠在办公桌上，头埋在胳臂中，他哭得那么沉痛，那么悲哀，也那么天真，我静静地站在他身旁，不知说什么好：几分钟后，他慢慢地停止哭泣。……擦干眼泪，静静地坐在椅子上，目光呆滞，一言不发。"那位学生陪他默默地坐了一阵，这才把他送回家。

三十多年后，年近九旬的金岳霖慢慢地回忆说说："林徽因死在同仁医院，就在过去哈德门的附近。对她的死，我的心情难以描述。对她的评价，可用一

句话概括：'极赞欲何词'啊！"

林徽因去世时五十一岁。那一年，建筑界正在批判"以梁思成为代表的唯美主义复古主义建筑思想"，林徽因自然脱不了干系。虽然林徽因头上还顶着北京市人大代表等几个头衔，但追悼会的规模和气氛都是有节制的，甚至带上几分冷清。

亲朋好友们送的挽联中，只有金岳霖的挽联别有一种炽热颂赞与激情飞泻的不凡气势，引人注目：

"一身诗意千寻瀑，万古人间四月天。"

四月天，在西方总是用来指艳日，丰盛与富饶。然而林徽因去世的这个四月天，却让他终生难忘。他回忆当年参加林徽因追悼会的情形时说："追悼会是在贤良寺举行，那一天，我很悲哀，我的眼泪没有停过……"

后来，梁思成和另一女子林洙结婚，重温二人世界。而金岳霖还是独身一人，他对此一声不吭。每年逢林徽因忌日，金岳霖总是要去一趟墓地，默默地献上一束花。林徽因死后多年后，六十年代的某一天，金岳霖郑重其事地邀请一些至交好友到北京饭店赴宴，没说任何理由。大家都过去了。弄了半天，大家还闹不清今天是什么特别的日子，老金为什么要在今天请大家吃饭。直到开席的当儿，金岳霖站起来，说："今天是徽因的生日。"顿使举座感叹唏嘘，有些老朋友望着这位终身不娶的老先生，偷偷地掉了眼泪。

有一个故事这样说鱼与水的爱情，鱼说："你看不到我的眼泪，因为我在水中！"水说："我能感觉到你，因为你在我心中。"金岳霖就是这样深沉、清澈如水的君子、绅士，他无疑是爱林徽因的，并且因为爱林徽因而爱林徽因的家庭，爱林徽因所爱的人。在时光的纸笺上，他信手写下这邂逅与痴缠的浪漫传奇。

有道是："人间自是有情痴，此恨不关风与月。"今生你在我梦里，我梦里花开。你在我眼眸里，暗香流溢。你在我的生命里，明媚了我的一生。

爱如一朵花的开落。你不来，我不敢老去……

晚年金岳霖虽已衰残病弱，但精神一直有所寄托。

金岳霖住在位于干面胡同的社科院职工宿舍，身边只有一位老汉服侍。那老汉除了做饭，别的事是不管的，有时他的老伴会从乡下来帮着打扫一下屋子。其他的所有事情基本都是由梁思成和林徽因的儿子梁从诫夫妇承担。金岳霖是看着梁从诫出生和长大的，始终把梁从诫当成自己的儿子看待。梁从诫夫妇也像对待自己的父母一样对待这位可敬的老人，称他为"金爸"，孙女梁帆叫他"金爷爷"。老人因病住院，以亲属名义签字的总是梁从诫；家里的杂事，自然更要由他们夫妇来做。至于像换窗帘这样的事情，则非梁从诫莫属了，因为他的个子最高。

然而，随着年龄的增大，体质越来越弱的金岳霖迫切希望梁从诫能够与自己住在一起，他多次提出让梁从诫一家搬来同住。但是梁从诫宁可多跑路，始终没有答应。原因很简单：金岳霖的房子大，怕别人说闲话。直到有一次，金岳霖外出开会，单位用汽车把他送到家门口以后，他自己竟没有力气爬楼梯，

后来被邻居发现才被扶上楼。邻居批评梁从诫，认为他必须搬过来。事已至此，两家就此合为一家。

终其一生，金岳霖没有婚娶，并对林徽因的孩子视如己出，晚年一直跟梁从诫一家住在一起。三代人的深情至谊让他的心境没有一般独身老人的孤独。一直到八十多岁去世。

对此，萧乾说：“林徽因坦荡，金岳霖克制，梁思成宽容，三人皆诚信磊落之君，没有见过这样的‘三角’。”金岳霖的一个研究生失恋后，他开导道：恋爱是一个过程，恋爱的结局，结婚或不结婚，只是恋爱过程中一个阶段。因此，恋爱的幸福与否，应从恋爱的全过程来看，而不应仅仅从恋爱的结局来衡量。也许，这段话就是金岳霖一生情感的总结。

在他眼中，爱这种人世间最崇高的情感，不是一定要绝对的占有。它不需言语，不需要触碰，只是一直静静地守候在那个最重要的人身边，看着她，怀念她，或许对先生来说已经是最大的幸福。

他在后来著述的文章中，把自己与梁、林三人间的亲密关系做了简单的、纯粹外表上的描述，并发挥了对“爱”和“喜欢”这种感情与感觉的分析。按老金的逻辑推理：“爱与喜欢是两种不同的感情或感觉。这二者经常是统一的，不统一的时候也不少，有人说可能还非常之多。爱，说的是父母、夫妇、姐妹、兄弟之间比较自然的感情，他们彼此之间也许很喜欢。”而“喜欢，说的是朋友之间的喜悦，它是朋友之间的感情。我的生活差不多完全是朋友之间的生活”。

看得出，此时的老金已真的把爱藏在心底。

然而，真的是这样吗？我们的哲学家果真永远做到如此冷静理性？

上世纪八十年代，年近九旬的金岳霖教授在医院中苦挨最后的时光。当林徽因家乡来人因收集整理林生前的诗集，找到了尚健在的金岳霖。他们将一张林徽因当年的旧照呈在他眼前时，老人忽然来了精神。他嘴角渐渐往下弯，像是要哭的样子，喉头微微动着，似有千言万语哽在那里，却又一言未发。他紧紧捏着照片，仔细端详，生怕影中人飞走似的。许久，才抬起头，像小孩求情似的说："给我吧！"后来，人们把冲印出来的照片送到金老手里时，他才高兴得象个孩子捧着照片凝视着，脸上的皱纹顿时舒展开了，喃喃自语："啊，这个太好了！这个太好了！"他似乎又一次跟逝去三十年的林徽因"神会"了，神经又兴奋了起来。

人的内心深处总有一些弥足珍贵的记忆，像压在箱底的华美锦缎或旧时衣衫。在某个时间点，你会在不经意间打开它们，就象推开一扇尘封已久的岁月大门，外面的阳光如瀑布般倾泻进去，瞬间照亮了整个心灵。一切都清新鲜亮如昨日。

"人世间有百媚千红，我独爱你那一种。"金先生整整苦苦守了一辈子林徽因。这个时刻，他正在跟徽因相见。依约相见，在天堂……

据说，晚年金岳霖不再开口说林徽因，有人央求他给林徽因诗集再版写一

些话。他想了很久，面容上掠过很多神色，仿佛一时间想起许多事情。但是最终，他一直咬紧牙关不松口，不吭声。最后，他终于一字一顿、毫不含糊地说："我所有的话，都应该同她自己说，我不能说，"他停了一下，"我没有机会同她自己说的话，我不愿意说，也不愿意有这种话。"他说完，闭上眼，垂下头，沉默了。大概他是想把心底的话，只说给天上的林徽因听吧。

金岳霖爱上的女人是林徽因，便注定他一生的情感像绝情谷里的情花，一动情便是折磨。曾经相遇，曾经相爱，曾经在彼此的生命光照，就记取那份美好，那份甜蜜。虽然无缘，也是无悔无憾。

他一生对情爱的追求都悄悄付诸于林徽因身上，即便在她死后，他哭到泣不成声也一句不提。那些话在心底默存了几十年，你不能同她说，如今再也没有机会对她说的话了。生命中那些美妙的瞬间让人一生珍惜。那些流年往事已经尘封在记忆里，一生望穿秋水是为了将你等待。

对于已经故去的一代名媛林徽因来说，有人为其终生牵挂，可谓心满意足；而这样一生痴情而不逾礼的知己，可当得起"真君子"三字矣！

金老去世后，林徽因的两个子女为他送终，更是人间一段难得的真情佳话。

于千万人之中遇见你所遇见的人，于千万年之中时间的无涯的荒野里，没有早一步也没有晚一步，金岳霖与林微因刚好赶上，留下了一段惊世传奇。

终其一生，金岳霖人格高贵得令人仰望。

一　生　盛　放　如　莲　花

我不曾忘，也不能忘

那天的天澄清的透蓝，

太阳带点暖，斜照在

每棵树梢头，像凤凰。

是你在笑，仰脸望，
多少勇敢话那天，你我
全说了，——像和风筝
向蓝穹，凭一线力量。

一 生 盛 放 如 莲 花

第五卷

午后时光：·太太客厅·里的美丽女主人

辗转流年，回首过往。人生

就是一场灵魂的修行。

一场场遇见，一次次经历，

一回回懂得。回眸间，总会

有一些感动存留于心，总会

有一些牵挂难以割舍，总会

有一些伤痛刻骨铭心，总会

有一些风景魂牵梦萦。

正如徐志摩所说，林徽因本身极具有诗人潜质。她是天生的诗人。

1931 年 4 月，在香山疗养的林徽因开始了诗歌创作。她在《诗刊》第 2 期发表了处女作《谁爱这不息的变幻》，喷涌的诗情便一发不可收拾。在这一年，她相继发表了诗歌《那一晚》、《仍然》、《笑》、《深夜里听到乐声》。

谁爱这不息的变幻，她的行径？

催一阵急雨，抹一天云霞，月亮，

星光，日影，在在都是她的花样，

更不容峰峦与江海偷一刻安定。

骄傲的，她奉着那荒唐的使命：

看花放蕊树凋零，娇娃做了娘；

叫河流凝成冰雪，天地变了相；

都市喧哗，再寂成广漠的夜静！

虽说千万年在她掌握中

操纵，

她不曾遗忘一丝毫发的卑微。

难怪她笑永恒是人们造的谎，

来抚慰恋爱的消失，死亡的痛。

但谁又能参透这幻化的轮回，

谁又大胆地爱过这伟大的变换？

——林徽因《谁爱这不息的变幻》

　　林徽因的诗歌在起点上就不同凡响。当时林徽因正因肺病在北京香山疗养，创作发表的第一首诗就是《谁爱这不息的变幻》。这个时候的林徽因历经了结婚、丧父、生子等人生中的诸多事件，对人生开始有了一些切身的感触。所以诗的开篇就有一种开阔的眼界和深沉的超越性思考。诗中有某种形而上的哲理意味，某种对人生沉浮、世事无常的感悟。笔下那些日影、星光、峰峦、江海的意象，那些都市喧哗、夜空广漠，展现出一种滚滚红尘中抬起头来的超然微笑，在世事浮沉、风云变幻中淡定彻悟的高远境界。

　　林徽因曾在《大公报·文艺副刊》发表了一篇随笔，认为诗歌就是要抓住灵感，跟着潜意识和内心的情感，用语言文字把各种意向组合起来。她自己的诗作很好地体现了这一点。

    深夜里听到乐声

    这一定又是你的手指,

    轻弹着,

    在这深夜,稠密的悲思。

    我不禁颊边泛上了红,

    静听着,

    这深夜里弦子的生动。

    一声听从我心底穿过,

    忒凄凉

    我懂得,但我怎能应和?

    生命早描定她的式样,

    太薄弱

    是人们的美丽的想象。

    除非在梦里有这么一天,

    你和我

    同来攀动那根希望的弦。

    ——林徽因《深夜里听到乐声》

深夜里那婉转动人的乐声，清幽、哀婉。细腻中带着真挚和热烈，温柔的情怀在深夜里如音符一样飘荡。深夜里的琴声悲切真实，让弹琴者和听琴者之间的情愫毫无保留地流露出来，有怀念，有相思，有悲凄，有希冀。这首诗中，文字的音韵之美和建筑之美体现得淋漓尽致。音韵的旋律美轮美奂，两长一短的句式抑扬顿挫，曲径通幽，构成了深邃的意境。

林徽因感情敏锐细腻，早年就显示出独特的艺术才华，在绘画、戏剧、舞蹈等艺术形式上都有自己的见解和风格。这些艺术审美素养，为徽因写诗打下了坚实的基础。在伦敦求学时，林徽因就阅读了大量的浪漫主义诗人的诗作，如拜伦、雪莱、泰戈尔等，这些名家的作品，让她明白了写诗的情绪和风格特征。对林徽因创作诗歌影响最大的莫过于徐志摩了。徐志摩的才情、他的诗意都让林徽因刻骨铭心。这一段经历让林徽因的内心渐渐催生出越来越多诗意的情愫，成为了创作诗歌灵感的源头。

　　如果我的心是一朵莲花，

　　正中擎出一枝点亮的蜡，

　　荧荧虽则单是那一剪光，

　　我也要它骄傲的捧出辉煌。

　　不怕它只是我个人的莲灯，

　　照不见前后崎岖的人生

浮沉它依附着人海的浪涛

明暗自成了它内心的秘奥。

单是那光一闪花一朵

像一叶轻舸驶出了江河

宛转它飘随命运的波涌

等候那阵阵风向远处推送。

算做一次过客在宇宙里，

认识这玲珑的生从容的死，

这飘忽的途程也就是个

也就是个美丽美丽的梦。

　　——林徽因《莲灯》

　　"莲灯"是生命的象征，点燃了人们心中的精神力量。她静坐在思念的渡口独守明月。凭栏回望，池中莲荷朵朵盛开，掩映着伊人浅浅的笑靥。温暖那指尖的微凉，也摇曳着三生三世痴守的誓言。一盏莲灯好像坎坷命运湍流中的一丝光亮，微弱却不乏力量，随波逐流却不迷失方向。回眸繁华过往，飘零了多少相思雨，拈一片花瓣芬芳了岁月，抚一缕幽香明媚了过往。那些流年里的梦

里花开，曾是她今生最美的相遇。

　　她对生死的态度是如此超然："玲珑的生，从容的死"，让人不禁想起泰戈尔说"生若夏花般绚烂，死若秋叶般静美"。泰戈尔的表述是静态，而林徽因通过莲灯的意向表达的是缓缓流动的生命过程，是涌动不息的生命精神。诗中追求一种飘渺迷离的唯美意境。"这飘忽的过程也就是一个——也就是一个美丽美丽的梦。"莲灯意象完美呈现了生命过程，有一种安详静谧，灿烂美丽却不张扬的境界。

　　林徽因写诗常常是在晚上，宁静的环境、清幽的心绪，是她写诗所产生灵感的氛围。据林徽因的堂弟林宣回忆，林徽因写诗的时候一定要"点上一炷清香，摆一瓶插花，穿一袭白绸睡袍，面对庭中的一池荷叶，在清风飘飘中，吟哦酿制佳作"。

　　有一首《静坐》就有这样的意境：

　　　　冬有冬的来意，

　　　　寒冷像花，——

　　　　花有花香，冬有回忆一把。

　　　　一条枯枝影，青烟色的瘦细，

　　　　在午后的窗前拖过一笔画；

　　　　寒里日光淡了，渐斜……

就是那样底（地）

像待客人说话

我在静沉中默啜着茶。

闲暇时光，她静静坐在季节的角落里，倾心那种空灵和静谧，沉醉于文字带来的温暖。泡一杯清茶，散碎些玫瑰花瓣，在水中升腾，晕开，将纯净透明的水，一瞬间舞成清淡透亮的粉红，吐露着幽情。而那缓缓升起的暗香，似是从从原野里隐隐而来，袅娜又寂静。

前世她为白莲，盈盈一水间，脉脉不得语。今生瘦了红颜，望穿秋水，独守一座城，等着有缘人来相知相惜。今夜，她在清浅的时光里静守一份安然的心境。品茶香袅袅，任神思飘渺。总会有一些情愫水一样滑过心际，于灵魂深处开出恬淡的花来。

一首《六点钟在下午》写出一种别样的心境体验：

用什么来点缀

六点钟在下午？

六点钟在下午

点缀在你生命中，

仅有仿佛的灯光，

褪败的夕阳，窗外

一张落叶在旋转！

用什么来陪伴

六点钟在下午？

六点钟在下午

陪伴着你在暮色里闲坐，

等光走了，影子变换，

一支烟，为小雨点

继续着，无所盼望！

　　黄昏时分的物象光影与人的主观生命体验交融在一起，像是唐人的绝句，又或是宋人的小令，恬淡而隽永。感谢这文字让平淡的日子里诗意盎然。感谢时光，让她在成长中体会到生命中的美好与温暖，感悟生命沉淀的厚重与隽永。与灵魂对望的时光，那些人情的冷暖，那些世事的沧桑，都会一一在沉思中渐次清晰，又渐行渐远成逝水沉香。

　　所谓真水无香，其实想要的不是浓郁鲜艳的花朵，也不是甘甜如饴的果实，只是这样一种恬淡轻松的心境，一种风轻云淡的日子，好似有所等待，有所期盼，也似有所回味。据说时隔三十多年，一位读过这首诗的同事还能一下背出来："六点钟在下午点缀在你生命中……褪败的夕阳，窗外，一张落叶在旋转！"

而一首《深笑》则写得清丽明净，宛转动人：

是谁笑得那样甜，那样深，

那样圆转？一串一串明珠

大小闪着光亮，迸出天真！

清泉底浮动，泛流到水面上，

灿烂，

分散！

是谁笑得好花儿开了一朵？

那样轻盈，不惊起谁。

细香无意中，随着风过，

拂在短墙，丝丝在斜阳前

挂着

留恋。

是谁笑成这百层塔高耸，

让不知名鸟雀来盘旋？是谁

笑成这万千个风铃的转动，

从每一层琉璃的檐边

摇上

云天？

这"深笑"甜美动人，韵味悠长，让你能够深深感受到什么是真挚的情感，什么是灵动的情思。每一个句子仿佛清澈透明，清新、细腻、纯净。诗中出现了梁林最深爱的古建筑的形象："是谁笑成这百层塔高耸，让不知名鸟雀来盘旋？是谁／笑成万千个风铃的转动从每一层琉璃的檐边／摇上／云天？"运用通感，以古塔檐边无数风铃转动的声音，将"深笑"的神情由视觉化为听觉，比喻笑声的清脆悦耳，直上云天。"深笑"如"好花"开后，"细香""随着风过"，"丝丝在斜阳前"，沁人心脾。

作为建筑学家的林徽因，在诗歌形式的构筑上非常讲究建筑美。全诗三节，都由四个长行与两个短行组成，具有一种错落有致的形式结构之美，韵味悠长。这甜美的"深笑"正是诗人乐观积极的生活态度。

作为一个诗人，林徽因最著名的诗歌是发表于 1934 年的《你是人间的四月天》：

我说你是人间的四月天；

笑响点亮了四面风；轻灵

在春的光艳中交舞着变。

你是四月早天里的云烟，

黄昏吹着风的软，星子在

无意中闪，细雨点洒在花前。

那轻，那娉婷，你是，鲜妍

百花的冠冕你戴着，你是

天真，庄严，你是夜夜的月圆。

雪化后那片鹅黄，你像；新鲜

初放芽的绿，你是；柔嫩喜悦

水光浮动着你梦期待中白莲。

你是一树一树的花开，是燕

在梁间呢喃，——你是爱，是暖，

是希望，你是人间的四月天！

　　春光、星星、百花、圆月、鹅黄、嫩芽、花开、春燕美丽、纯洁的意向，充满喜悦、希望和爱的光辉。这人间四月里，风如她笔下那般轻盈；春如她笔下那般光艳；云烟如她笔下那般娉婷；燕如她笔下那般幸福呢喃；莲如她笔下那般在梦里水光中苏醒。字句间仿佛看见一个美丽女子，迈着莲步从桃花深处走来，空灵飘逸，清新婉约。她粲然而笑，那些缱绻隽永的诗句，早已铺满了这个春日，成为了四月里最美的风景。

　　有的认为这是写给诗人徐志摩的情诗，有的认为这是写给林徽因儿子的赞歌。林徽因的儿子梁从诫先生亲口证实，梁思成曾经说过这首诗写给当时只有

两岁的儿子"小弟"。从诗意来看，说是一个母亲对两岁左右孩子的呵护与赞美也很贴切。但一首诗的内容有时是由读者的阅读感受决定的。诗中并没有明确说是写给谁，那么读者的解读就存在多种可能性的空间。其实，如果把这首诗看作是对一种青春和生命的热烈赞颂更有魅力。

林徽因的诗歌意境优美，内容纯净，形式纯熟，语言华美而毫无雕饰之嫌。在形式上，这首诗词语的跳跃和韵律的和谐几乎达到了极致，完美地体现了新月诗派的诗美原则：讲求格律的和谐、语言的雕塑美和音律的乐感。

林徽因还写过小说。她的小说虽说数量不多，但同样表现出不俗的成就和才华。她的第一篇小说《窘》，发表于 1931 年 9 月的《新月》上。这篇小说具有心理小说的某些特质。小说的主人公是中年教授维杉。他在与朋友少朗的交往中，遇到了少朗的女儿芝。这是一个处在"成人的边沿"的少女，她天真活泼，又带有少女的娇羞。维杉觉得她"使你想到方成熟的桃或杏，绯红的、饱饱的一颗天真让人想摘下来赏玩，却不敢真真地拿来吃。"面对芝，他常常陷入莫名的怔忡恍惚之中。但同时，他又意识到自己在芝的面前是父辈，是"老叔"。这种想接近芝又有所顾忌的情形让他觉得"窘极了"。林徽因在小说中细腻地表现人的意识和潜意识，维杉这种"发乎于情"的潜意识的萌动"止乎于礼"的种种情状，都描写得惟妙惟肖，含蓄蕴藉。

在这篇小说中，仿佛也是林徽因对当年英伦情事的一个朦胧隐喻，透露了一个十六岁少女对一个成年男子微妙心理的某些体察。

林徽因的作品发表在天津《大公报》、《文学杂志》等刊物上的，主要有

《你是人间四月天》、《谁爱这不息的变幻》、《笑》、《清原》、《一天》、《激昂》、《昼梦》、《瞑想》等诗篇几十首；话剧《梅真同他们》；短篇小说《窘》、《九十九度中》等；散文《窗子以外》、《一片阳光》等。其中包括诗歌 60 多首，小说 6 篇，还有散文、戏剧和文学评论。其中代表作为《你是人间四月天》，小说《九十九度中》。大概是林徽因并不刻意成为一个文学家吧，其文学作品数量并不多，但正因为如此，其作品便有感而发，灵动真挚，宛若山间流动的小溪，颇有自身的特色与风韵。

林徽因的文学才能得到了时人推重。她曾应聘为北平女子文理学院外语系讲授《英国文学》课程，负责编辑《大公报·文艺丛刊·小说选》，还担任《文学杂志》的编委。她经常参加北平文学界读诗会等活动。1936 年，平津各大学及文化界发表《平津文化界对时局宣言》，向国民政府提出抗日救亡的八项要求，林徽因是文艺界的发起人之一。

"京派文学"是 20 世纪 30 年代中期北平的一个文学流派，在中国现代文学史上占有重要一席。林徽因不凡的文学素养，以及喜好发表宏论的活跃性格，还有美丽的容貌，令她自然而然地成为"当时京派的一股凝结力量"。这一时期，林徽因不但在《新月》、《大公报》文艺副刊、《学文》和《文学杂志》杂志上面连续发表了许多诗歌、小说、戏剧和文艺评论，而且扶植新人、选编结集、设计封面，为推动"京派文学"立下了汗马功劳。1936 年 8 月，林徽因选编的《大公报文艺丛刊·小说选》由上海良友图书公司出版。面市后很快售罄，仅隔

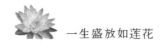

三个月就又再版。

　　她的儿子梁从诫在《倏忽人间四月天》一文中说道：母亲文学活动的另一特点，是热心于扶植比她更年轻的新人。她参加了几个文学刊物或副刊的编辑工作，总是尽量为青年人发表作品提供机会；她还热衷于同他们交谈、鼓励他们创作。她为之铺过路的青年中，有些人后来成了著名作家。关于这些，认识她的文学前辈们大概还能记得。

　　梁从诫所言不虚，经林徽因提携的年轻人如沈从文、萧乾，都对她有很高的评价。作家萧乾 1984 年写了一篇纪念林徽因的长文《一代才女林徽因》，提到 1933 年他作为燕京新闻系的三年级学生，在《大公报·文艺副刊》发表了《蚕》而受到林徽因的邀请，临行之前他高兴得坐立不安，老早就把蓝布大褂洗得干干净净，把一双旧皮鞋擦了又擦，在星期六上午跟随着沈从文"羞怯怯"地跨进了总布胡同那间有名的"太太的客厅"。林徽因对萧乾说的第一句话是："你是用感情写作的，这很难得。"这话给了萧乾很大的鼓励。他形容这句鼓励"就像在刚起步的马驹子后腿上，亲切地抽了那么一鞭"。由于林徽因对诗歌、小说、散文、剧本，各样体裁无所不能，又都出了精品，赢得北平作家们的钦佩和爱戴。而且她经常发表关于文学的精辟见解，语惊四座。所以萧乾说："她又写，又编，又评，又鼓励大家。我甚至觉得她是京派的灵魂。"

　　作为一个建筑学者，林徽因也许并无意在文学天地里驰骋。但是她的艺术素养、文学天赋，她的赤热心肠，她的心直口快和独特见解，再加上她的美丽和个人魅力，无形中使她成为"京派文学"的一个重要象征。林徽因的墓碑上刻的是"建筑师林徽因",其实还应该刻上"作家、诗人林徽因"。林徽因用一支笔绘出雕梁画栋、亭台楼阁,用另一支笔写诗写散文写小说。科学与艺术、感性与理性交融,让她的生命圆满而丰盈。

午后的阳光照进客厅，一切都灿然若新。那位优雅浪漫、侃侃而谈的美丽女主人呢？客厅情景剧中那些扮演着各类角色的人物们呢？

这个群星璀璨、风云际会的"太太客厅"，总是让那些后来的人们悠然神往。

20世纪30年代，林徽因一家住在北京东城区北总布胡同三号。

北总布胡同三号是一套两进的四合院，大大小小四十来间。它靠近皇城根，方砖铺地。院子里种着石榴树、槐树还有海棠花和马缨花。里院和外院隔着垂花门廊。

她家的这个里院客厅坐北朝南，窗明几净，午后的阳光可以洒满一地。客厅墙上挂着梁启超手书对联"清水出芙蓉，天然去雕饰"，显出几分清净恬淡的书卷气息。每个星期六下午，常常有一些客人前来聚在一起，一杯清茶，些微点心，聊文学、聊艺术、聊建筑、聊哲学和人生，天南地北，古今中外。各种跨学科的观点、见解和各种感悟，都在这个客厅里自由地交流和碰撞，让人不禁想到《诗经》中"如切如磋，如琢如磨"的那种境界。

随着梁林一家的社会交往圈子影响越来越大，形成了 20 世纪 30 年代北平最有名的文化沙龙。这就是当时被人称"太太客厅"。当时，一批京城留学海归知识界和名流巨子常聚集在这个"太太客厅"里。他们中有新月社的诗人们，也有《晨报》副刊的编辑和作者，当然更少不了林徽因、梁思成在学界的亲朋好友。诸如政治学家张奚若、经济学家陈岱孙、哲学家金岳霖、物理学家周培源，更有名满天下的胡适、巴金、沈从文、萧乾、李健吾、叶公超、朱光潜、常书鸿等人。这是一长串近现代闪闪放光的名字，一个知识分子群体的风云际会。这些民国时期的知识界精英群体既对中国传统文化有很深的理解和造诣，对西方文化又有广泛的了解和掌握。他们所谈的多是学问和艺术，相对那个战乱频仍、风云激荡的大时代而言，他们宠辱不惊，淡泊自处，不为俗事物欲所动，坚守内心精神的纯净与旷达，显出几分超然和闲适。

这个"太太客厅"还常常因有一些外国学者如费正清、费慰梅等人前来聚谈而备受瞩目，甚而具有几分国际文化俱乐部的特色。1932 年，林徽因梁思成夫妇结识了美国朋友费正清和费慰梅夫妇，他们两家恰巧住在同一条胡同里。费正清说："中国对我们产生了巨大的影响，而梁氏夫妇在我们旅居中国的经历中起着重要作用。"有时，费正清夫妇一起到梁家去，见林徽因和梁思成在"太太客厅"朗诵中国的古典诗词。那种抑扬顿挫、有板有眼的腔调，直听得客人

入了迷。而且，他们还能将中国的诗词和英国诗人济慈、丁尼生，或者美国诗人维切尔·林赛的作品进行比较。费正清曾和他们谈起哈佛广场、纽约的艺术家及展品、美国建筑师弗兰克·劳埃德·赖特、剑桥大学巴格斯校园。由于费慰梅有修复拓片的爱好，因此与林徽因夫妇更有共同的语言了。费正清还常常把他在海外档案中查到的那些清朝官员的笑话念给他们听。

　　在"太太客厅"里，林徽因是客厅里的"女主角"，一直是最活跃的人物，读诗，演讲，辩论，倾诉。她的双眸因为这样热烈的氛围而兴奋得发亮，她的才思也在这样的交流碰撞中变得敏锐而缜密。"太太客厅"对当时的学界中人具有特别的吸引力，不仅仅是因为林徽因的漂亮和热情，更主要的是女主人知识渊博、思想独特、个性特别、语言幽默。她特别擅长提出和捕捉话题，象一个学术沙龙高明的主持人，具有超人的亲和力和调动客人情绪的本领。同时，她对人性也有着透彻的了解，对情感的丰富性和复杂性多有包容，对各种事物有独特的见解。

　　除了这些客人们，还有跑来跑去的孩子和忙碌的佣人，有各门亲戚穿进穿出。有几个当时在上大学的梁家侄女，爱把她们的同学带到这个充满生气的家里来。她们在这里常会遇见一些当代著名的诗人和作家，因仰慕林徽因的作品而来，并因为着迷林徽因个人的魅力，流连忘返。

　　"太太客厅"还曾引起过许多诗人、作家，特别是文学青年的心驰神往，许多人以一登"太太客厅"为幸事。除了徐志摩等新月派诗人，当时乡土文学的代表作家沈从文就常常到林徽因家去。他从小在湘西长大，熟悉湘西风土人情。小说中有着非常深厚浓郁的湘西风情。林徽因非常喜欢他的作品，因为那里有着很离奇的情节，很特别的人物，都是她闻所未闻的。后来沈从文生活上碰到一些难事，也会跑到林徽因家去寻求安慰。

那时沈从文与诗人高青子产生了婚外情。高青子是福建人，当时只是高中毕业。她爱好文艺，对沈从文的作品十分喜爱。与沈从文见面时，她有意模仿沈从文小说中女主人公的装束："绿地小黄花绸子夹衫，衣角袖口缘了一点紫"，让沈从文很快产生了好感。高青子的装束是仿沈从文小说《第四》里的女主人公。叙述人"我"在汽车站与一个女子邂逅并相爱，她有着"优美的在浅紫色绸衣面包裹下面画出的苗条柔软的曲线"。高青子以衣妆传情，如同拈花微笑一样，神秘而且奇异，在沈从文内心激荡起了波澜。后来她的写作与沈从文的鼓励和提携有极大关系。1936年春节刚过，沈从文将自己与高青子的经历和感受告诉了妻子张兆和。张兆和感到意外、震惊和不解，一气之下回了苏州娘家。沈从文每天给妻子写一封长信，坦白地表明他对年轻女作家高青子的爱慕和关心，其中一句伤心的话引起张兆和的嫉恨。痛苦、无助的沈从文想到了林徽因，他想到这位才女经受过诸多情感的考验，他在寒冷的风中落泪，赶到梁家，向林徽因倾诉。

林徽因表示了理解，觉得这就是生活，生活就应有喜怒哀乐。那一天，沈从文在梁家和林徽因长谈。林徽因看着痛苦不堪的沈从文，以自己的经历开导他，并且和他探讨人性和文学，她理解他的心灵承受怎样的痛苦。她说："我认

定了生活本身原质是矛盾的，我只要生活；体验到极端的愉快，灵质的，透明的，美丽的近于神话理想的快活。"她说："我的主义是要生活，没有情感的生活简直是死生活必须体验丰富的情感，把自己变成丰富，宽大能优容，能了解，能同情种种'人性'。"后来林徽因在给沈从文的信中表示："你希望抓住自己的理性，也许找个聪明的人帮忙你整理一下你的苦恼或是'横溢的情感'，设法把它安排妥帖一点，你竟找到我来，我懂得的。"

林徽因把这件事写信告诉了她美国的好友费慰梅："这个安静、善解人意、'多情'又'坚毅'的人，一位小说家，又是如此一个天才。他使自己陷入这样一种情感纠葛，像任何一个初出茅庐的小青年一样，对这种事陷入绝望。他的诗人气质造了他的反，使他对生活和其中的冲突茫然不知所措，这使我想起了雪莱，也回想起志摩与他世俗苦痛的拼搏。可我又禁不住觉得好玩。他那天早晨竟是那么的迷人和讨人喜欢！而我坐在那里，又老又疲惫地跟他谈，骂他，劝他，和他讨论生活及其曲折，人类的天性、其动人之处和其中的悲剧、理想和现实！"

后来，青年作家萧乾在《大公报》上发表的处女作《蚕》，受到了林徽因赏识。在沈从文的介绍下，也走进了太太客厅。萧乾早就听说林徽因的肺病很厉害，想象中她应是一脸病容。谁知当他看到林徽因时不禁呆了。只见她穿了一套骑马装，显得美丽动人，像个运动员。原来她时常和朋友到外国人办的俱乐部去骑马。他回忆对林徽因的印象时说："她话讲得又多又快又兴奋。总是滔滔不绝地讲着，总是她一个人在说。她不是在应酬客人，而是在宣讲，宣讲自己的思想和独特见解。那个女人敢于设堂开讲，这在中国还是头一遭，因此许多人或羡慕，或嫉妒，或看不惯，或窃窃私语。"

抗战胜利后，"太太客厅"由北总布胡同三号又移到了清华大学校园宿舍内。

据当时还是学生的林洙回忆，林徽因不管谈论什么都能引人入胜，语言生动活泼。她还常常模仿一些朋友们说话，学得惟妙惟肖。她曾学朱畅中先生向学生自我介绍说："我知唱中（朱畅中）。"引起哄堂大笑。有一次，她向陈岱孙先生介绍当时还是学生的林洙说："这个姑娘老家福州，来自上海，我一直弄不清她是福州姑娘，还是上海小姐。"接着她学着昆明话说，"严来特使银南人口罗（原来她是云南人口罗）。"逗得大家都笑了。

林徽因总是聚会的中心人物。她是那么渊博，不论谈论什么都有丰富的内容和自己独特的见解。当她侃侃而谈的时候，爱慕者总是为她那天马行空般的灵感中所迸发出来的精辟警语而倾倒。

一天，林徽因谈起苗族的服装艺术，从苗族的挑花图案，又谈到建筑的装饰花纹，她介绍我国古代盛行的卷草花纹的产生、流传；指出中国的卷草花纹来源于印度，而印度来源于亚历山大东征。她又指着沙发上的那几块挑花土布说，这是她用高价向一位苗族姑娘买来的。那原来是要做在嫁衣上的一对袖头和裤脚。她忽然眼睛一亮，指着靠在沙发上的梁思成说："你看思成，他正躺在苗族姑娘的裤脚上。"人们听了不禁噗哧一笑。

这时梁思成也谈起他在川滇调查时的趣闻。他说在云南楚雄时，曾被作为上宾请去吃喜酒。看到新房门上贴着一副绝妙的对联。上联是："握手互行平等礼"，下联是："齐心同唱自由歌"。然后他又拖长了声音笑着说："横批是：'爱——的——精——诚'。"客人们全都哈哈大笑起来。他自己也笑着说："真叫人哭笑不得。"

林徽因有一天和客人们谈起天府之国的文化。林徽因说梁思成在调查古建筑的旅途上，沿途收集四川的民间谚语，已记录了厚厚的一本。梁思成说，在旅途中很少听到抬滑竿的轿夫们用普通的语言对话，他们几乎都是出口成章。两人抬滑竿，后面的人看不见路，所以前后两人要很好地配合。比如，要是路上有一堆牛粪或马粪，前面的人就会说"天上鸢子飞"，后面的人立刻回答"地上牛屎堆"，于是小心地避开牛粪。西南山区的道路很多是用石板铺筑的，时间久了，石板活动了，不小心会踩滑摔跤，或把石缝中的泥浆溅到身上，这时前面的人就会高唱"活摇活"，后面的人立刻应声答道"踩中莫踩角 (jǒu)"，诸如此类的对话不胜枚举。有时高兴了前后你一句我一句地唱起山歌，词汇丰富语言优美。梁思成说："别看轿夫们生活贫苦，但却不乏幽默感，他们决不放过任何开心的机会。要是遇上一个姑娘他们就会开各种玩笑，姑娘若有点麻子，前面的就说'左(右)边有枝花'，后面的立刻接上'有点麻子才巴家'。"林徽因接上来说："要是碰上个厉害姑娘，马上就会回嘴说'就是你的妈'。"大家都笑了。林徽因又说："四川的谚语和民谣真是美呀！只要略加整理就能成为很好的诗歌与民谣，可以把它编一本《滑竿曲》。"

他们的老朋友费正清曾在其晚年回忆录中这样来形容："她是有创造才华的作家、诗人，是一个具有丰富的审美能力和广博的智力活动兴趣的妇女，而且她交际起来又洋溢着迷人的魅力。在这个家，或者她所在的任何场合，所有在场的人总是全都在围绕着她转。她穿一身合体的旗袍，既朴素又高雅，自从结婚以后，她就这样打扮。质量上好、做工精细的旗袍穿在她均匀高挑的身上，别有一番韵味，东方美的闲雅、端庄、轻巧、魔力全在里头了。"费正清先生的夫人费慰梅认为林徽因敏锐而复杂："她那种广博而深邃的敏锐性仍然使我惊叹不已。她的神经犹如一架大钢琴的复杂的琴弦。对于琴键的每一触，不论高音还是低音，重击还是轻弹，它都会做出反应。或者是继承自她那诗人的父亲，在她身上有着艺术家的气质。她能够以其精致的洞察力为任何一个艺术留下自己的痕迹。"

作家萧乾也感叹说："徽因的健谈绝不是结了婚的妇人那种闲言碎语，而常是有学识、有见地，犀利敏捷的批评。我后来心里常想：倘若这位述而不作的小姐能像18世纪英国的约翰逊博士那样，身边也有一位博斯韦尔，把她那些充满机智、饶有风趣的话一一记载下来，那该是多么精彩的一部书啊！"

林徽因的儿子梁从诫对母亲的评价是："三十年代是母亲最好的年华，也是她一生中物质生活最优裕的时期，这使得她有充分的条件表现出自己多方面的爱好与才华"。"在现代中国的文化界里，母亲也许可以算得上是一位多少带有一些'文艺复兴色彩'的人，即把多方面的知识和才华——文学的和科学的、人文学科和工程技术的、东方的和西方的、古代的和现代的——汇集于一身，

并且不限于通常人们所说的'修养'。而是在许多领域都能达到一般专业者难以企及的高度。"

自"五四"新文化运动之后，当时的国内出现了一个学贯中西、思想开明的自由知识分子群体。他们是社会中的少数知识精英、精神贵族。像林徽因这样受过良好教育才貌出众的女子，更是凤毛麟角。林徽因是美丽的，她的永恒之美在于她的精神世界。她曾经承认自己是受着中西方双文化教育长大的。中西文化融合造就了一个"文化林徽因"。

她的才情和气质，她的素养与襟怀，出众的才华和丰富的阅历，凝聚成一种大度、从容、经得起岁月淘淬的内在精神气质，在那个时代焕发出美丽的光辉。也为女性从传统社会走进现代，树立了不灭的灯标，照澈出一条真正的人生之路。

有美貌、有才华的女子，往往也是个性凌厉的女子。林徽因也是如此。

所以，若以《红楼梦》里的"金陵十二钗"来比喻的话，她更象是伶牙利齿、心性高傲却个性凌厉的林黛玉，而不是八面玲珑、人情练达得圆熟通融的薛宝钗。

林徽因原名是"林徽音"。后来，她发现有个专写"花边文学"的男作家叫林微音。"微音"与"徽音"字形读音都相近，林徽因担心人们会弄混，决定改名。她征询弟弟林宣意见，听林宣说有个朋友的女儿叫"筠因"。林徽因拍案叫好，从此改"音"为"因"。

她说："我不怕人家把我的作品误为林徽音的，只怕日后把他的作品错当成我的。"可见她的自负。出身世家望族，少女时代就出洋留学，受到良好的中西文化教育，又有着天生姣好的容貌，过人的才华，特别是所到之处如众星捧月般的受宠，让林徽因显然得格外出众，也很容易让她自视甚高，蔑视流

俗。这样的一个女性容易让其他传统女性相形见绌，也很容易使他人产生误解乃至嫉妒。

林徽因的好友李健吾对这一点看得很透彻。曾经说她："绝顶聪明，又是一副炽热的心肠，口快，性子直，好强。几乎妇女全把她当作仇敌。"导致这种情形的原因，则是："她缺乏妇女的幽娴的品德。她对于任何问题感兴趣，特别是文学和艺术，具有本能的、直接的感悟。生长富贵，命运坎坷，修养让她把热情藏在里面，热情却是她生活的支柱。喜好和人辩论———因为她热爱真理，但是孤独、寂寞、抑郁，永远用诗句表达她的哀愁"。

一九三四年初，林徽因读过李健吾《文学季刊》上关于《包法利夫人》的论文，极为赞赏，随即致信李健吾约来"太太客厅"晤面。从此两人成为文学知交。林徽因借鉴意识流手法创作了小说《九十九度中》，有些大学教授竟然都读不明白。为此，李健吾写出了与小说同题的评论，热情称赞林徽因："在我们好些男子不能控制自己热情奔放的时代，却有这样一位女作家，用最快利的明净的镜头（理智），摄来人生的一个断片，而且缩在这样短小的纸张（篇幅）上。"并指出："在我们过去短篇小说的制作中，尽有气质更伟大的，材料更事实的，然而却只有这样一篇，最富有现代性。"在李健吾的回忆文章里，没有把林徽因描绘成一个十全十美的佳人，而是还原出一个更加真实、更富有个性的女子。他曾听林徽因亲口讲起这样一件得意趣事：冰心写了一篇小说《我们太太的客厅》讽刺林徽因的太太客厅。林徽因当时恰好由山西调查庙宇回到北京，便带了一坛又陈又香的山西醋，立即叫人送给冰心。

　　冰心的小说《我们太太的客厅》写于 1933 年 10 月 17 日，从 10 月 27 日天津《大公报》文艺副刊开始连载。这年的 10 月，林徽因与梁思成、刘敦桢、莫宗江等人赴山西大同调查研究古建筑及云冈石窟结束，刚刚回到北平。

　　尽管小说所写的地点、人物和林徽因的文化沙龙不完全一样，但是影射痕迹仍然十分明显。一篇小说，引出一瓶陈醋，林徽因与谢冰心从此结下了心结。

　　林徽因与冰心的祖籍同为福州，算是同乡。冰心的丈夫吴文藻和林徽因的丈夫梁思成出国之前同在清华念书，而且曾住在一个宿舍，是真正意义上的同窗。1925 年暑期，已是恋人关系的冰心与吴文藻到康奈尔大学补习法语，梁思成与林徽因也双双来到康奈尔大学访友。他乡遇故知，而且还是同窗加同乡的关系，四个人在绮色佳美丽的山川秀水间谈天说地，林徽因与冰心还留下了一张珍贵的生活照。但是林徽因和冰心虽同为接受西式教育的中国女性，性格、价值观、处事方式却存在着很大的差异，让她们最终形同陌路。抗战期间，林徽因与冰心两家都流亡西南，同在昆明居住了近三年，早期住处相隔很近。冰心先后住螺蜂街与维新街，林徽因住在巡津街，步行只需十几分钟。但从未发现二人有交往的经历。

　　徐志摩遇难后，冰心给老朋友梁实秋写信，这样谈论："志摩死了，利用聪明，在一场不人道、不光明的行为之下，仍得到社会一班人的欢迎的人，得到一个归宿了！我仍是这么一句话，上天生一个天才，真是万难，而聪明人自己的糟蹋，看了使我心痛。志摩的诗，魄力甚好，而情调则处处趋向一个毁灭的结局。谈到女人，究竟是女人误他？还是他误女人也很难说。志摩是蝴蝶，而

不是蜜蜂，女人的好处就得不着，女人的坏处就使他牺牲了。到这里，我打住不说了！"

冰心在信中为徐志摩鸣不平，认为女人利用了他，牺牲了他。虽未明说是谁，但也会让人联想到林徽因。徐志摩曾经说"于茫茫人海中访我唯一灵魂之伴侣"。他不顾家室狂热追求林徽因，人尽皆知。徐志摩为了听林徽因的报告而在大雾中乘飞机，在当时也流传甚广。林徽因之子梁从诫曾说："徐志摩遇难后，舆论对林徽因有过不小的压力。"

有趣的是，冰心在晚年并不承认《我们太太的客厅》写的是林徽因，在公众场合提到林徽因也多语气平和。1987 年，冰心在谈到自"五四"以来的中国女作家时曾提到林徽因，并说："1925 年我在美国的绮色佳会见了林徽因，那时她是我的男朋友吴文藻的好友梁思成的未婚妻，也是我所见到的女作家中最俏美灵秀的一个。后来，我常在《新月》上看她的诗文，真是文如其人。"1992 年6 月 18 日，冰心在和几位作家谈到文学作品不应该对号入座后，忽然讲到《我们太太的客厅》说写的并不是林徽因，其实是陆小曼。这大概是冰心老人想大事化小、小事化无。

而林徽因的儿子梁从诫在和一些学者朋友谈到冰心时，却是"怨气溢于言表"。一次，作家柯灵主编一套民国女作家小说经典丛书。他极为赞赏林徽因，计划收入林徽因一卷。但多时不得如愿，原因就在出版社聘了冰心为丛书的名誉主编，梁从诫为此不肯授予版权。可见，林徽因与谢冰心关于"太太客厅"的心结，并非是空穴来风。

除了冰心外，林徽因与另一位极有才华的女作家凌叔华的关系也十分微妙。凌叔华出身名门，是"五四"时期众多走出闺门，接受新思想，以新眼光审视周遭世界的女作家之一。上世纪２０年代，凌叔华对于那些遭逢社会变革的传统女性的命运，有着女性独特的洞察力。创作的《花之寺》、《绣枕》等小说引起文坛瞩目。这些小说以独具一格、细腻别致的笔触，深入到中国传统女性的内心深处，反映了封建大家庭中备受压抑的女性生活，在当时颇有影响。徐志摩曾经称凌叔华为"中国的曼殊菲儿"。后来，她与《现代评论》的主编陈源结婚，于４０年代移居国外。

由于那桩众人皆知的"八宝箱"公案，她与林徽因的关系变得很敏感。人们至今也不明白，凌叔华为什么不愿将《康桥日记》完整无缺地交给林徽因。多年以后，林徽因已经去世多年，凌叔华本人也已芳华不再，对那桩公案仍然耿耿于怀。她在致陈从周的信中抱怨："不意在他飞行丧生的后几日，在胡适家有一些他的朋友，闹着要求把他的箱子取出来公开，我说可以交给小曼保管，但胡帮着林徽因一群人要求我交出来（大约是林和他的友人怕志摩恋爱日记公开了，对她不便，故格外逼胡适向我要求交出来）。"但是对于日记的残缺原因，她却只字未提。究竟是什么让她如此心存芥蒂，是出自她对徐志摩的感情，还是对林徽因的嫉妒心理？

林徽因不只是和当时一些女性作家心存芥蒂，和亲戚里的一些女性也相处不太和谐。

　　梁启超夫人李蕙仙是前清礼部尚书的堂妹，这位大家闺秀年长梁启超四岁，遇事果断，意志坚决，在梁家说话举足轻重。前面曾经提到，梁思成遇车祸受伤后，未进门的林徽因照顾梁思成时没有男女之防的观念，显得那么无所顾忌。更何况，林徽因与徐志摩的关系曾弄得满城风雨，闹得人家要为她离婚。李蕙仙对此很看不顺眼，担心老实厚道的儿子将来会受委屈，不太赞成这门亲事。甚至直到生命的最后时刻，她仍对思成和徽因的婚事耿耿于怀。

　　在给女儿梁思顺的一封信中，梁启超说："徽因我也很爱她，我常和你妈妈说，又得一个可爱的女儿老夫眼力不错吧。徽因又是我第二回的成功。"其实，李蕙仙身为母亲，为儿子挑媳妇有自己的一套判断标准。她知道，林徽因接受的是西式教育，她不拘一格的真性情，天马行空的想象力，真诚直接的感情方式，都注定是老实厚道的梁思成无法驾驭的。不过，李蕙仙与林徽因到底是两个时代的人，无法完全理解。客观来讲，李蕙仙当年的忧心不无道理。林徽因的情感世界是很丰富的，个性也有些锋芒，远远超出了传统观念容许的范围。徐志摩对她热烈追求，金岳霖一生"逐林而居"，确实对婚姻家庭的稳定构成了挑战。但最关键的是，林徽因虽然追求诗意浪漫，但骨子里却很清醒很理智。她对爱情和婚姻的态度其实是严肃的，也是非常理性的。她爱梁思成，对丈夫、对家庭子女也是负责任的。所以，梁思成问：为什么是我？林徽因说：我要用一生来回答。

　　李蕙仙病故后，梁家长女梁思顺又成为梁林走到一起的阻力。梁启超的这个大女儿梁思顺也是个才女，个性较强，干练精明，善长诗词，曾编写

《艺蘅馆词选》。长大后，她成为父亲处理内外事务的得力助手，在梁家的地位十分特殊。她比思成年长8岁，作为长女，她格外得到父母的信任，也格外受到弟妹的尊重。梁启超对于家中的大小事宜，都习惯于征求长女的意见。受母亲影响，梁思顺也看不惯林徽因的洋派作风。在失去母亲的悲痛中，梁思顺很直接地反对弟弟梁思成与林徽因的婚事，认为弟弟应当找一个贤妻良母式的女人为妻。在两人留学美国时，梁思顺随驻外使节的丈夫正住在加拿大。梁思成经常收到姐姐的信，信中对林徽因责难有加。尤其是谈到母亲病情加重，称母亲至死也不可能接受林徽因。林徽因知道后非常伤心。她不堪忍受梁家母女种种非难，更不能忍受他人对自己人格与精神独立的干预。梁思成也陷入极度痛苦之中。他很快瘦了下去，经常精神恍惚。在给姐姐思顺的信中，他倾吐了自己的痛苦："——感觉着做错多少事，便受多少惩罚，非受完了不会转过来。"

这时，同在美国留学的弟弟梁思永颇为理解他们，一再写信给姐姐梁思顺，要她理解林徽因。他还不断写信回国求助父亲梁启超，恳求他劝说姐姐和母亲。因而到了1925年4月，梁思顺对林徽因的态度有所改变，甚至"感情完全恢复"。梁启超知道后非常高兴，作数千言长信给海外子女们："思顺对于徽音感情完全恢复，我听见真高兴极了。这是思成一生幸福关键所在，我几个月很怕思成因此生出精神异动，毁掉了这孩子，现在我完全放心了。"

事实上，梁思顺对林徽因的成见并没有完全消失，内心深处是不以为然的。当梁林一家从东北回来，在北京东城总布胡同三号安家。梁思顺的女儿正在燕

京大学读书，事先没有告知父母就住到了舅舅、舅妈这里。这引起了大姐梁思顺的恼怒。她半夜找上门来要把女儿带走。女儿哭着不愿意走。梁思顺竟然说，你这么喜欢往舅舅、舅母家里跑，为何不向舅舅、舅母要学费？大姐的话气得林徽因说不出话。大姐临走时还说：女儿在这里会染上激进的婚恋观念，有人激进到连婚姻都不相信。这是含沙射影，讽刺常来梁家又不愿结婚的金岳霖。1936 年，林徽因在给费慰梅的一封信中，抱怨说："她全然出于嫉妒心，尽说些不三不四话。"

林徽因在女性中不合群，正是她率真性情所致。林徽因从少女时代起接受的就是西式教育，后来交往的都是当时知识界的精英，如政治学家张奚若、经济学家陈岱孙、逻辑学家金岳霖、物理学家周培源，无不是他们各自学术领域里的泰斗人物，就不必说胡适、沈从文、叶公超、朱光潜……无一不是各自领域的名流泰斗。这样的知识背景和社会交往使她在很多方面与其他女性不一样。

她并不以相夫教子为满足，而是更加注重个体自我价值的实现，更有超出一般女性的生活理想和人生目标。1932 年，林徽因在给胡适的信中就提到了这一点："我自己也到了相当年纪，也没什么成就，眼看得机会愈少。我是个兴奋型的人，靠突然的灵感和神来之笔做事，现在身体也不好，家常的负担也繁重，真是怕从此平庸处世，做妻生仔的过一世！我禁不住伤心起来。想到志摩今夏对于我富于启迪性的友谊和 LOVE，我难过极了。"

事实上，林徽因的个性显得矛盾而复杂。

从外表上看，她身体纤弱多病，容貌秀美，气质浪漫，能诗善文。在性格上却又有豪放爽朗的一面，她爱好骑马运动，能和同事们一道跋山涉水、攀爬亭台楼宇，可以抽烟、喝啤酒，敢于发表自己意见，大声与人辩论，颇有些男子气。这一点与宋代那位同样才气横溢、个性婉约中又兼有豪放、同样爱喝酒、有丈夫气的李清照颇为相似。

所以，林徽因具有多样化的复杂个性，具有一种与传统女性完全不同的吸引力。可以说，这是一个十分美丽、气质浪漫、追求自我内在精神生活的女人，又是一个个性好强、性情率真、思想观念超越凡俗、事业上多有建树的才女。她理所当然就成了三个著名爱情故事的女主角：一个是与徐志摩共同出演的青春浪漫感伤片，浪漫诗人对她痴狂，并开中国现代离婚之先河；一个是和梁思成这个名字并置在一起的婚恋正剧，建筑学家丈夫视她为不可或缺的事业伴侣和灵感的源泉；另外还是一个悲情故事的女主角，她中途退场，逻辑学家金岳霖因她而终身不婚，用大半生的时间"逐林而居"，将单恋与怀念持续终生。可想而知，她确实是一位魅力非凡的佳人。在她身后，似乎还难以找到一个能及得上她的成就和魅力的女性。

她的风采甚至令同性的女人们也为之倾倒。1930 年春夏之交的一天，作家陈衡哲之妹陈衡粹上北京香山游玩，于半山腰处遇到一顶小轿下来，她看见轿子里坐着一位年轻女士。那女士的容貌之美是她从来没见过的，很惊奇。想再看一眼，轿子却已经走远了。她心中顿时出现"惊艳"二字。身旁

的人说，那轿子里的女士就是林徽因。她不知该用什么现成的话赞美她，是用闭月羞花？还是用沉鱼落雁？似乎都套不上。她后来写道：林徽因不但天生丽质，而且从容貌和眼神里透出一种内心深处骨头缝里的文采和书香气息。甚至过了许多年以后，她还念念不忘在香山上的那"惊鸿一瞥"。回忆说："我今生今世，认定了她是我所见到的第一美人。没有一个人使我一瞬难忘，一生倾倒。"

1935 年，林徽因曾在国立北平大学女子文理学院外语系教《英国文学》课。云南大学中文系全振寰教授曾修读她上的这门课。全教授这样回忆当时的情形："当时许寿裳任院长，潘家询任外语系主任。曹靖华、周作人、朱光潜都在此执教。林徽因每周来校上课两次，用英语讲授英国文学。她的英语流利、清脆悦耳，讲课亲切、活跃，谈笑风生，毫无架子，同学们极喜欢她。每次她一到学校，学校立即轰动起来。她身着西服，脚穿咖啡色高跟鞋，摩登、漂亮而又朴素、高雅。女校竟如此轰动，有人开玩笑说，如果是男校，那就听不成课了。"

1948 年，清华学生剧团在大礼堂用英语出演《守望莱茵河》时，萧乾夫人文洁若见到了已经 44 岁的林徽因，文洁若描述当时的情景。她这样说："一会儿，林徽因出现了，她坐在头排中间，和她一道进来的还有梁思成和金岳霖。开演前梁从诫过来了。为了避免挡住后面观众的视线，梁从诫单膝跪在妈妈面前，低声和妈妈说话。林徽因伸出一只纤柔的手，亲热地抚摸着爱子的头。林徽因的一举一动都充满了美感。文洁若为此感慨说道："没想到已经生了两个孩子，年过四十的林徽因，尚能如此打动同性的我。"

这就是林徽因，以她的美丽、智慧和独特个性气质倾倒了芸芸众生。

　　林徽因的个性是独特的，甚至是有些锋芒的，却绝不是孤芳自赏，拒人千里之外。事实上，林徽因情感丰富细腻、待人真诚，有很多和她终生保持亲密关系的知己和朋友。其中最亲密的"闺蜜"，一个是梁思庄，一个是美国学者费慰梅。

　　林徽因和梁思庄是相处十分融洽、彼此知心的姐妹关系。梁思庄的女儿吴荔明这样回忆：我的妈妈一直和二舅妈林徽因相处得很好，她们十几岁时就相识了，后来又一起在国外留学。梁思庄在加拿大读书时，每到节假日就去美国找两位留学的哥哥梁思成和梁思永去玩，由此也和林徽因的感情很深。由于共同接受了西方教育，使她们有很多共同语言，亲如姐妹。梁思庄常说说二舅妈林徽因是"刀子嘴豆腐心"，别看她嘴巴很厉害，但心眼好。她的喜怒哀乐形诸于色，是绝对的真性情。正因为梁思庄对林徽因的性格为人有这样深刻的认识，才能使她们姑嫂两人始终是好朋友。林徽因外出考察还常常给她写信，讲述一路上的见闻和收获。

1936 年 1 月，痛失丈夫的梁思庄带着年仅一岁半的女儿，从广州回到了北平。初到北平时住在梁思成家。舅妈林徽因当时十分善待母女俩。即使在外地考察也会写信，看母女两个是否安顿好了。新中国成立以后，林徽因和梁思庄来往也很密切。林徽因做过手术后，常乘坐人力车去梁思庄家晒太阳，拉家常。吴荔明小时候爱吃冰棍。细心的林徽因记住了，夏天去梁思庄家，总是用一个小广口暖瓶装着满满的水果冰棍或是小豆冰带给孩子。梁思庄见到林徽因的第一句话，也往往是用英语问："Are you all right（你身体好吗）"。起初女儿吴荔明以为是客套，后来了解林徽因身患肺病的情况后，才知道这句话里饱含了梁思庄的满腔关切。

费慰梅是学者费正清（John King Fairbank) 的妻子，也是林徽因终生相知的亲密好友。1932 年，20 多岁的费正清和费慰梅在北京结婚，不久在一次欧美同学会上认识梁思成和林徽因夫妇。他们倾心交谈，相见恨晚。后来费正清和费慰梅夫妇经常出入梁林一家的"太太客厅"。费正清在 1946 年回到哈佛历史系任教，开创了费正清学派，建立哈佛东亚研究中心，把中国的文化传播到全世界。回国以后，他们的友谊只能通过书信来传达。梁家困居李庄的时候，生活非常拮据，连写信也只能用裁开的小纸片。写信的邮费也许够一家子一阵的生活费，即使如此他们的联系也从未中断。

作为一个西方女性，费慰梅能一下子找到林徽因全部痛苦的症结。费慰梅说："林徽因当然是过渡一代的一员，对约定俗成的限制是反抗的。她不仅在英国和美国，而且早年在中国读小学时都是受的西方教育。她在国外过的是大学生的自由生活，在沈阳和思成共同设计的也是这种生活。可是此刻在家里一切都像要使她铩羽而归。""她在书桌或画报前没有一刻安宁，可以不受孩子、仆人或母亲的干扰。她实际上是这十个人的囚犯，他们每件事都要找她做决定。当然这部分是她自己的错。在她关心的各种事情当中，对人和他们的问题的关心是压倒一切的。她讨厌在画建筑的草图或者写一首诗的当中被打扰，但是她不仅不抗争，反而把注意力转向解决紧迫的人间问题。"

　　林徽因是一个直爽外向的人，她的心扉全然向知心的费慰梅敞开。费慰梅在中国的那段日子，经常骑着自行车或坐人力车在天黑前到梁家去，穿过花园去找林徽因。两个人在起居室一个暖和的角落里坐下，泡上两杯热茶，便开始推心置腹的倾谈。她们有时比较中国和美国不同的价值观和生活方式，有时谈文学艺术，并把对方不认识的朋友的追忆，毫无保留地告诉对方，林徽因谈得最多的当然是徐志摩，她给费慰梅大段大段地背诵徐志摩的诗，从她闪着泪光的眸子里，费慰梅读出了那一份深深地思恋。

　　在林徽因心情不好的时候，费氏夫妇便拉上她到郊外去骑马。林徽因在马背上的坐姿真是棒极了，连号称美利坚骑士的费正清也叹为观止。因为经常去骑马，林徽因索性买了一对马鞍，一套马裤，穿上这身装束，她俨然成了一位英姿勃发的女骑师。那段日子带给林徽因的印象是新鲜而美好的。费氏夫妇回国后，她在信中对往事的回顾依然那样兴致勃勃："自从你们两人在我们周围出现，并把新的活力和对生活、未来的憧憬分给我以来，我已变得年轻活泼和精神抖擞得多了。每当我回想到今冬我所做的一切，我都是十分感激和惊奇。你看，我是在两种文化教养下长大的，不容否认，两种文化的接触和活动对我来说是必不可少的。"

1993年，费慰梅完成了书稿《梁思成和林徽因：一对探索中国建筑的伴侣》，1995年由宾州大学出版。

可以说，她们是一生一世的知音和挚友。

作为一个母亲、一个亲人、一个挚友，人们更多地感受到林徽因性情中的温情、真诚与善良。

女儿梁再冰对不少温馨琐事记忆犹新。她记得，小时候生病时，母亲将自己从保姆房里睡到母亲卧室。由于她口干却又不宜多喝水，母亲白天小滴小滴喂，夜间把小茶壶搁床头，嘱咐她实在难忍时小小抿一口。她每次抿茶时，总见母亲注视着她的动静。她为了照顾女儿，几乎一夜无眠。一九三二年夏天林徽因又生了男孩，取名"从诫"，希望他步宋代李诫建筑研究后尘。梁从诫诞生在协和医院，福建老乡林巧稚为他接生。至今医院的档案里还保存着林大夫手写的英文记录，上面印着从诫的小脚丫印。林徽因对这两个孩子这样动情地描述道："宝宝常常带着一副女孩子娴静的笑，长得越来越漂亮，而小弟是结实而又调皮，长着一对睁得大大的眼睛，他正好是我期望的男孩子，他真是一个艺术家，能精心地画出一些飞机、高射炮、战车和其他许许多多军事发明。""宝宝"就是女儿梁再冰，"小弟"就是儿子梁从诫。信中的字里行间，对一双儿女

的爱意溢于言表。

　　此外，作为同父异母的弟弟、二娘程桂林的儿子林恒，总能在林徽因那里感受到一种别样的骨肉亲情。林恒从福建上北平投考清华，寄住在北总布胡同三号姐姐林徽因家。林徽因真诚坦率，对弟弟林恒照顾有加。林徽因的母亲何雪媛对林恒母亲当年受宠的不满，也投射到林恒的身上，平时说话不作一点掩饰。常因鸡毛蒜皮的小事跟林恒闹不愉快。家里时常弥漫着尴尬的气氛。林徽因只得私下安抚无辜的弟弟，让他感受到姐姐关怀的温暖。后来，正在上学的林恒参加了"一二九"示威游行，遭到军警追捕镇压。林徽因见十多小时过去了仍不见他回家。焦急地到处打电话探询弟弟的下落，梁思成则开着汽车到一家家医院，在受伤的学生中找寻，可是依旧不见林恒踪影。直到半夜他们才得着消息，林徽因自己驾车到西城一个僻静小巷把林恒接了回来。待养好伤后，林恒毅然报考了航空学校，加入到抗日救亡的最前线。

　　梁思成和林徽因原本一心做学问，从不愿参与政治。但在那个动荡年月里，北总布胡同三号还是成了进城游行学生的接待站和避难所。在游行时，有一个学生被军警的大刀砍得血流满面，林徽因连忙给他包扎急救。梁思成的五妹梁思懿最与林徽因谈得来，她担任燕京大学"中华民族解放先锋队"的大队长，是游行队伍的领袖。梁思懿得知自己上了黑名单后，当晚跑到大哥大嫂家中。梁思成、林徽因都认为五妹应该立刻逃离北平。林徽因连夜用火箝为她烫发，给她涂脂抹粉，还在她身上套了件绸子旗袍。清纯大学生刹时变成时髦贵气的富家少奶奶。林徽因让梁思成一路开车将她护送到火车站，送上南下的列车。

临别前交代好思懿，途中凶吉，用电报给他们报信，平安即发贺电，出事则是喑电。结果林徽因得到一封"恭贺弄璋之喜"的电文，心里的石头方才落地。

梁思成的第二任夫人林洙在回忆录还曾经提到，1948 年秋天，林洙以福建同乡的学生身份被介绍给林徽因，到清华先修班求学。林徽因热心地承担了她的英文补习任务。后来，林洙要和在清华大学任教的男朋友结婚，但是经济窘迫。林徽因知道以后，对林洙说营造学社有一笔专款是用来资助青年学生的，让她先用。林徽因看到对方很窘迫地涨红了脸，立刻安慰道："不要紧的，你可以先借用，以后再还。"不由分说地把存折塞给了她，并且送了一套清代官窑出产的青花瓷杯盘作为结婚礼物。后来林洙想还这笔钱，却被林徽因"严厉"地阻止了。

这就是林徽因的热心肠。

一个人心里有了阳光，就可以照亮严寒的世界。携手那时光前行，我们的心始终都会温婉如花……

抗战时期，林徽因那位同父异母的三弟林恒考上杭州笕桥航空学校，成为空军飞行员。而正是因为这个后来成为空军飞行员的弟弟，林徽因和梁思成在抗战中又经历一番催人泪下的难忘经历。

1937 年 12 月间，准备前往云南昆明西南联大的梁思成和林徽因，来到了湖南和贵州交界的晃县（现为湖南省新晃侗族自治县）。天色已晚，积劳成疾的林徽因开始发烧。梁思成急于找个旅馆，把一家人安置下来。但是在小县城转了

一圈，才发现所有的旅馆都住满了。正着急时，他忽然听到一间旅馆楼上传出优美的小提琴声。在这个偏僻小县城里谁会拉小提琴呢？而且拉的是世界名曲。他循声上楼，发现原来是一群身着空军学员制服的年轻人，十来双眼睛疑惑地望着他。他们的口音都是广东方言。正好梁思成祖籍是广东新会。老乡见老乡格外亲切。攀谈之下，才知道小伙子全是杭州笕桥航校第七期的学员，也正奉命往昆明撤退。因为林徽因的弟弟林恒也是航校学员，她感到格外亲切。这群小伙子听说他们一家五口没有住处，表示可以挤出一间房子给他们。第二天一早，学员们要走了。临别时，梁思成把他们到昆明后的住址告诉了这些年轻人。

当梁林一家到达昆明住下后，在晃县结识的那些航校学员，又跟他们联系上了。巧合的是，作为空军航校第十期学员的林恒，不久也奉命撤往昆明。因这层关系，梁家与这批航校学员的友谊更加密切。常来他们家的有七八个，来的时间一般是周末或节假日。林徽因像接待自己的亲弟弟一样地接待他们。这些年轻人在昆明都没有什么亲戚，于是把热心健谈的林徽因当成了自己的亲姐姐。他们话语不多，善良而腼腆，家乡大都在沦陷区，孩子般地依恋着思成和徽因。他们讲德国教官怎样用鞭子残酷地抽打着训练，讲他们多么思念在沦陷区的父母和亲人，也倾吐他们在西南联大找到女朋友的快乐。有的飞行员跟林徽因讲述时忍不住掉下了男儿泪。

不久，梁思成和林徽因忽然收到了一张请帖。这些航校学员们要毕业了。第七期毕业的 8 名飞行学员，没有一个学员的家长是在昆明的。他们的家长、家庭基本都在沦陷区。因此校方邀请梁思成夫妇做他们全期学员的名誉家长，参加他们的毕业典礼。那一天，林徽因一家早早地赶到航校。梁思成坐在主席台上致了词，然后颁发了毕业证书，毕业生们还驾着飞机进行了飞行表演。他们庄严地登上古旧落后的"老道格拉斯"，在蓝天里翱翔。那一张张年轻英俊、兴奋豪迈的面孔，给林徽因和梁思成留下深刻印象。

毕业后，这七八个人大多分到了四川各地，担负空袭警戒与作战任务。从1940年林徽因和丈夫成为航校学员的"名誉家长"开始，噩梦就开始了。他们等来的不是胜利捷报，而是接二连三的阵亡通知书，还有陆续寄来请求代为保管的烈士遗物。那位雨夜拉小提琴的年轻人黄栋权，是比较早牺牲的一位。黄栋权牺牲得特别壮烈。他击落了一架敌机，在追击另一架时自己的座机被敌人击中，遗体被摔得粉碎，以致都无法收殓。林徽因全家对于黄栋权的死特别悲痛，因为当初正是他的琴声才使他们同这批飞行员结下了友谊之缘的。这时，林徽因肺病复发，卧床不起。她常常一遍一遍地翻看这些年轻人的照片、日记，悲不自胜。

这才仅仅是个开始。此后不到两年，他们在晃县认识的七八个小伙子几乎全部阵亡。一封一封的阵亡通知书压得梁家人难以喘息。那些天，他们的心都要碎了。除了心碎还有愤怒、焦虑和屈辱。当时中国空军的装备极端落后，远远不能同日本侵略者相匹敌。自淞沪抗战以来，中国空军能参战的飞机已所剩无几。飞行员甚至只能驾驶着由民用机改装的战机，性能极差。许多年轻的飞行员甚至来不及还击敌人，就献出了生命。那个时候，传说空军飞行员由航校毕业到战死，通常寿命只有六个月。

不久，林徽因的弟弟林恒也在成都上空一次空中作战中阵亡。1941 年 3 月，由于后方防空警戒系统的无能，大批日机已经飞临成都上空，我方仅有的几架驱逐机才得到命令仓促起飞迎战。林恒不顾日机的轰炸扫射，冒死登机，起飞迎战。然而座机刚刚离开跑道，没有拉起来就被敌机击落，壮烈殉国。林徽因所称呼的"在北平西总布胡同老宅我们叫做三爷的那个孩子"，甚至没有来得及参加一次像样的战斗，就献出了自己年轻的生命。当时林徽因正在重病之中，在重庆的梁思成匆匆赶往成都收殓了他的遗体，掩埋在一处无名墓地里。他把林恒遗物，一套军礼服，一把航校毕业纪念佩剑，包在一个黑色的包袱里带回了李庄。

病中的林徽因知道了噩耗，默默地流泪，写下了一首《哭三弟恒》：

"弟弟，我没有适合时代的语言

来哀悼你的死；

它是时代向你的要求，

简单的，你给了。

这冷酷简单的壮烈是时代的诗

这沉默的光荣是你。"

1944 年一个黄昏，梁家最害怕的第九封阵亡通知书凄然而至。他叫林耀，是梁林一家很密切的飞行员。林徽因在亲弟弟和其他飞行员都牺牲后，待他如亲弟弟一般。在衡阳保卫战中，他被日本军机击落殉国。他是梁林一家所认识的 8 个名誉子弟中，最后一个战死在蓝天的。断断续续三四年间，一个个曾经是那样年轻的、生气蓬勃，有理想又有担当的青年们，就这样全部消失了。这些犹如一柄重锤不时地敲击着林徽因的心灵，锤炼着她的神经。

因为林徽因一家和这群飞行员特殊的情谊，每年七月七日"卢沟桥事变"纪念日中午十二点，梁思成都要带领全家，在饭桌旁起立默哀三分钟，来悼念一切认识的和不认识的抗日烈士。

这三分钟是全家最肃穆、最动人的三分钟。而这三分钟所包容的意义已经超越了梁思成、林徽因一家。这是一个民族的哀悼。

一　生　盛　放　如　莲　花

不过是去年的春天，花香，

红白的相间着一条小曲径，

在今天这苍白的下午，再一次登山

回头看，小山前一片松风

就吹成长长的距离，在自己的身旁。

人去时，孔雀绿的园门，白丁香花，
相伴着动人的细致，在此时，
又一次湖水将解的季候，已全变了画。
时间里悬挂，迎面阳光不来，
就是来了也是斜抹一行沉寂记忆，树下。

一　生　盛　放　如　莲　花

第六卷

生如夏花：只为你如花美眷，似水流年

原来姹紫嫣红开遍，似这般，
都付与断壁残垣。
良辰美景奈何天，赏心乐事
谁家院？

——汤显祖《牡丹亭·游园》

　　人们印象中的美女加才女，仿佛都是多愁善感，吟诗填词，弹琴吹箫。然而，这应当是个错觉。宋代那位才女李清照就以自己的天赋和才能证明，她不仅仅只会诗词文赋，还精通金石之学。后来南渡的颠沛流离中证明，她还是一个生活的强者，一个有着男儿豪放气质、关心天下大事的伟大爱国女性。

　　林徽因也是如此。人们往往只从关于林徽因的文学作品中，从她的社会交往中，从她的情感经历中，感知她的美丽、才华和性情。常常将她想象成一个多情善感、蒲柳弱质的小女人，或是至多会一点诗词、懂一些外语的小资范儿。其实，林徽因一生的作为、建树和命运表明，她不愧是一个学贯中西、视野开阔，对民族文化有着强烈责任感、使命感的非凡女性；不愧是林长民的女儿，梁启超的儿媳。她无愧于家族的荣誉、时代的厚爱、历史的眷顾。

　　她不是那种眼界只围于家庭儿女的女性，尽管她非常看重家庭亲情；也并非是一个纯粹的诗人，尽管她天性中有着浪漫情怀。在她早年选择的人生理

想——建筑研究领域里，她的建树非常突出，堪称是中国现代建筑学的奠基人之一。她是中国第一位建筑学女教授，第一位女建筑师。而建筑领域通常是男人们纵横驰骋的天下。

作为诗人、作家的林徽因有着浪漫诗意的想象力，有着细腻深刻的情感体验。在"太太客厅"那样高雅的艺术沙龙里，她是那样神思飞越，侃侃而谈。在从事建筑学考察研究的时候，她表现出来的却是科学家严谨细致的务实作风，测绘、勘察一丝不苟。她常年和丈夫一起外出考察古建筑，跋山涉水，风餐露宿，到处寻访那些古代遗存的楼台、石桥、寺庙、楼台、高塔，透过厚厚的岁月积尘，勘定年月，揣摩结构，计算尺寸，然后绘图、照相、归档。

从 1930 年到 1945 年，她与梁思成共同走了中国的十五个省，两百多个县，考察测绘了两百多处古建筑物，获得了许多远溯唐宋的重要发现。很多古建筑就是通过他们的考察得到了世人的认识并加以保护，比如河北赵州石桥、山西的应县木塔、五台山佛光寺便是如此。她坐在开往太原的列车上经过榆次时，从窗口单单那么无意地一瞥，便察觉到远处的雨花宫非同寻常。后来的考察结果证实，它是一座建于公元 1008 年宋代初期的木结构建筑，是古建筑中简洁结构的重要例证，体现了中国建筑风格由唐到宋的过渡，在建筑史上有着极其特殊的地位。1936 年，为了实地测量古建筑，林徽因与梁思成一起登上了宁静肃穆的天坛祈年殿屋顶。她自豪地相信，自己是中国历史上第一个敢于踏上皇帝祭天宫殿屋顶的女性。祈年殿在古代是皇帝祭天的场所，在祭祀时都不要女性在现场，而林徽因居然踏上其屋顶，足见其豪迈不羁的个性。

林徽因和梁思成在考察古建筑工作中最重要、最辉煌的发现，就是山西五台山唐代木结构建筑佛光寺的发现。正是林徽因首先敏锐地留意到佛光寺梁上的字迹，为确证寺庙的年代提供了铁证。

中国古代建筑多以砖木构建，易于朽坏。当时已不知中国境内是否还有唐代木构建筑的存在。日本人曾经断言，中国已不存在唐代的木构建筑。要看唐制木构建筑，人们只能到日本奈良去。但是，梁思成和林徽因相信，中国这么大的地方，肯定会有唐代的木构建筑存在。

他们到图书馆去翻阅了很多材料，结果有重大的发现。在法国汉学家伯希和写的《敦煌石窟图录》里，有两张唐代壁画的研究引起他们的注意。这两张壁画描述了佛教圣地五台山的全景，并标明了每座寺的名字。梁思成又在北平图书馆见到一本《清凉山（山西五台山）志》，里面有佛光寺的记载。梁思成和林徽因估计这个地方由于交通不便，进香的人也不多，比较有利于古建筑的保存。他们决定去碰碰运气。

对林徽因来说，这将是一次终生难忘的山西之行。

1937 年 6 月，梁思成和林徽因、莫宗江、纪玉堂一起乘火车到太原，再坐车到 80 英里外的东治。到了东治，由于山路狭窄崎岖，路沿着陡峻的山崖迂回前伸，一边是绝壁，另一边是深崖，有时候连毛驴、骡子都害怕得腿颤抖着不肯前行。他们只好骑着驮骡慢慢前行，往五台山进军。沿路也不知有没有他们要找的建筑。他们这样走了两天终于在南台外圈找到了佛光寺大门，到达位于

五台县城东北 60 华里的佛光寺。

在 1937 年 6 月 26 日的黄昏时分，他们望见了夕阳下金光四射的宏伟殿宇。佛光寺矗立在高坡上，黄昏柔和的光影勾勒出了它苍劲朦胧的轮廓。让一行人不禁发出了惊喜的赞叹。只见古木参天，山门幽闭，墓塔森森，特别是那硕大而简洁的斗拱和高挑远翘的飞檐，还有柱头、门窗，处处都像出自唐代工匠们的高超手艺。

佛光寺坐东朝西，南、北、东三面群峰环抱，西面地势阔而豁朗，整座寺庙显得气势不凡。进得山门，前后有两个院落，两个院落都很宽阔，殿、堂、楼、阁、窑、房、厩、舍井然有序。佛教以东为上，后院的东大殿是正殿。正殿面宽七间，进深四间，柱、额、斗拱、门窗、墙壁均未施油漆彩绘，而用土朱涂刷，看上去素洁古朴。正坛有如来佛陀和普贤菩萨、文殊菩萨，无数尊者和金刚侍立两侧。据史料记载，这座寺院创建于北魏时期，是五台山颇负盛名的大寺之一。唐武宗"会昌灭法时，佛光寺被毁，12 年后，逃亡在外的该寺僧人愿诚法师募资重建"。

第二天，林徽因和同事们就开始了仔细的调查。那里的斗拱、梁架、藻井以及雕花的柱础，以及寺内外的魏（或齐）唐墓塔、石雕，泥塑、石刻、壁画、墨迹，荟萃一处，都显示出了晚唐建筑的特征。推开古老厚重的大殿门，大殿中有一尊身着便装、面目谦恭的女人坐像。据寺僧介绍说是武则天的塑像。

考察人员戴着厚厚的口罩掩盖口鼻，在黑暗和尘土秽气中进行测量、画图和拍照。大殿屋顶藻井是一间黑暗的阁楼，藻井上积满了厚厚的尘土。屋檩上吊挂着成千上万只黑色蝙蝠，尘土中还堆积着许多蝙蝠的死尸。蝙蝠聚集在黑暗的角落，翅膀扇动着令人窒息的尘土和秽气。不料照相时镁光灯闪亮惊飞了蝙蝠，被惊扰的蝙蝠在他们身上飞来撞去。没想到底下还挤满了密密麻麻的臭虫。它们以吸食蝙蝠血为生。让他们身上和背包里爬满了臭虫，浑身奇痒难耐。头几天，他们就这样不停地爬上爬下与蝙蝠、臭虫周旋，一呆就是几个小时。

他们细细看过了斗拱、梁架、藻井以及雕花的柱础，无论是单个或总体，都明白无误地显示了晚唐时期的特征。当他们爬进藻井上面的黑暗空间时，在那里看到了一种屋顶架构，使用双"主椽"，其做法只有在唐代绘画中才有。还看到了古老的人字形"叉手"承脊栋——这种结构过去只从《营造法式》上读到过，也许这是国内仅存的孤例。这些发现顿时让一行人兴奋不已。正如梁思成后来写道："……但我追猎遗构多年，以此时刻最感快慰。"

不过，只有找到明确无误的文字记录才能确证这是一座唐代建筑。他们经过两天时间搭起支架，洗去了大梁上积得厚厚的灰土。第三天，林徽因毅然第一个爬上高悬的大殿脊檩，寻找可能的文字依据。即使对男人来说，这都是件艰辛而又危险的事。只见上面一片漆黑，打亮手电就只见檩条盖满了千百只蝙蝠，竟然驱之不散。她把头尽量往后仰，从各个不同角度尽力辨识梁上的文字。在一根梁的根部下面，她注意到有很淡的墨写字迹。这个发现对众里寻她千百度的人们来说犹如电击一般，如果是明确的年代日期，他们将不虚此行。

经过一番艰苦努力，她费劲地辨认了半天，终于见到了一行字："佛殿主女弟子宁公遇"，其余则依旧模糊一片。她想起在大殿外的经幢上好像看到过类似

的名字，急忙跑出去核实。果然，经幢上刻着"佛殿主女弟子宁公遇"，而且有"唐大中十一年"的刻字。这是明确的唐代纪年！假定石柱是大殿建成不久后立的，已基本可以肯定这是一个唐代建筑。太高兴了，他们把布单撕开浸上水不断擦拭。梁上涂着土朱，一经水浸，字便显了出来，水一干马上又消褪了。然后，林徽因边清洗尘垢，边仔细寻找辨认那些文字记录，认出一些隐约的人名，还带有长长的唐朝官职。在最右边两丈高的那根梁上，林徽因隐约辨出了梁底有墨迹，费了足足三天，才读完整个梁面的题字，字体宛然是唐风："功德主故军中尉王"正是唐代宦官监军时的职务。

原来宁公遇就是捐资建造佛殿的女施主，大殿建于唐朝大中十一年，即公元857年。大殿中那尊身着便装、面目谦恭的女人坐像，并不是寺僧所说的"武后"塑像，而是这座寺庙的女施主宁公遇夫人。这一切确证，林徽因和同伴们发现的佛光寺大殿，是当时国内已知的最古老的现存唐朝木结构建筑！

日本学者的论断被打破了，我们中国还保存有完整的唐代木构建筑！大家的狂喜不言而喻，正是夕阳西下的时刻，殿前庭院里一片灿烂。他们取出本来用作应急的饼干、牛奶和罐头沙丁鱼，顾不得将来的断餐之忧，先倾其所有地大大饱餐了一顿，以示庆贺。

林徽因还专门站在"女弟子宁公遇"塑像前，让梁思成拍了张纪念照。也许，她是要感谢这位唐代虔诚礼佛的女子，在香雾袅袅中端坐千年，留下这辉煌的唐构佛光寺。

此后，他们一行人又看了附近的显通寺、塔院寺、万佛阁、罗候寺、圆照寺等二三十所庙宇，大都是明清时代的建筑。这更让他们对佛光寺的发现充满了欣喜。林徽因和梁思成立即致信太原教育厅，详细陈述了佛光寺历史的价值，建议他们立即制定出一个永久性保护办法。回到北平后，林徽因见到朱自清和萧乾，还兴致勃勃地向他们描述考察时的情景。

这无疑是中国建筑史上的伟大发现。梁思成称它为"国内古建筑的第一瑰宝"。直到今天，佛光寺东大殿仍是中国现存唐代木构建筑中规模最大的一座。1961 年，佛光寺被国务院公布为第一批国家级文物保护单位。

梁思成发表在英文版《亚洲杂志》1941 年 7 月号上的《中国最古老的木构建筑》一文中这样写道："佛殿是由一位妇女捐献的！而我们这个年轻建筑学家，一位妇女，将成为第一个发现中国最难得的古庙的人，这显然不是一个巧合。"

这是梁思成在向自己的妻子致敬。

林徽因和梁思成三次到山西考察，发现了华严寺、云冈石窟、应县佛宫寺释迦塔（木塔）、洪洞广胜寺飞虹塔、晋祠圣母殿、鱼沼飞梁等古建筑，并因此破解了成书于宋代的古代建筑学"天书"——《营造法式》。

他们的每一次野外考察其实都像是一次艰难探险。出外考察大多是畜力车和人力车，有时还要骑骡、驴，住的则是鸡毛小店，卫生环境极差。他们曾徒步跋涉泥泞黄土路三百余里，住过肮脏的可怕的小店，睡过农家的大炕。一路上他们还常常担心断粮断餐。在交通很不发达的当年，行路也是一个考验。到

了不通公路和铁路的地方，一切都要靠原始的大车和毛驴，风尘扑面，颠颠簸簸，而要去的目的地一般都在很偏远的深山荒野。梁思成在 1932 年第一次去河北蓟县独乐寺考察中，住店后好不容易找了个电话，和北京的林徽因说的第一句话竟然是兴奋地说："没有土匪！四个人住店，一宿一毛五！"

学社某日考察笔记记载着："下午五时暴雨骤至，所乘之马颠蹶频仍，乃下马步行，不到五分钟，身无寸缕之干。如是约行三里，得小庙暂避。"又一日记载："行三公里骤雨至，避山旁小庙中，六时雨止，沟道中洪流澎湃，明日不克前进，乃下山宿大社村周氏宗祠内。终日奔波，仅得馒头三枚（人各一），晚间又为臭虫蚊虫所攻，不能安枕尤为痛苦。"可见有时能宿在大车店已经不算太倒霉，但大车店里起床每人一身虱子。考察的艰辛还在于风险，途中他们要提防土匪的出没；到考察点，测量旧寺古塔，爬上风蚀了数百上千年的顶端，随时都有坠落的可能。

梁思成也有记述："今天工作将完时，忽然来了一阵'不测的风云'，在天晴日美的下午五时前后狂风暴雨，雷电交作。我们正在最上层梁架上，不由得不感到自身的危险。不单是在二百八十多尺高将近千年的木架上，而且近在塔顶铁质相轮之下，电母风伯不见得会讲特别交情。"

这些困难对于寻常人来说已是殊属不易，而林徽因，一个书香门第走出来的大家闺秀，一个曾经向往诗意浪漫生活的女子，一个体弱多病的女性，却经受住了如此艰苦的野外考察生活。尤其令人难以置信的是，一向优雅浪漫的她会和男子一样餐风宿雨，爬梁上柱。

在她的身上，可以看出一种可贵的内在精神，一种坚忍与执着，一种自我奉献和牺牲的精神，一种在艰苦环境中依然乐观自信的情绪。这段《山西通信》中的文字就有如阳光般明朗灿烂：

> 我们因为探访古迹走了许多路；在种种情形之下感慨到古今兴废。在草丛里读碑碣，在砖堆中间偶然碰到菩萨的一只手一个微笑，都是可以激动起一些不平常的感觉来的。乡村的各种浪漫的位置，秀丽天真；中间人物维持着老老实实的鲜艳颜色，老的扶着拐杖，小的赤着胸背，沿路上点缀的，尽是他们明亮的眼睛和笑脸。由北平城里来的我们，东看看，西走走，夕阳背在背上，真和掉在另一个世界里一样！云块，天，和我们之间似乎失掉了一切障碍。我乐时就高兴的笑，笑声一直散到对河对山，说不定哪一个林子，哪一个村落里去！我感觉到一种平坦，竟许是辽阔，和地面恰恰平行着舒展开来，感觉的最边沿的边沿，和大地的边沿，永远赛着向前伸……

富有诗人气质的林徽因还认为，建筑与人的精神世界存在着一种对应关系。面对不同的建筑，人会产生不同的情感：崇高的、愉悦的、宁静的或错乱的、忧伤的甚至荒诞的。她的建筑学论文处处留下了自己的印记，那是人文的、审美的、情感的和价值判断的印记。

正是在这里，作为建筑师的林徽因有着女性的感性视角与诗人的独特感悟。

在大自然的怀抱里考察古建筑时，林徽因就常常发现坚硬冰冷的建筑物中蕴涵着独特的"诗意"和"画意"。在她的眼里，"无论哪一个巍峨的古城楼，或一角倾颓的殿基的灵魂里，无形中都在诉说，乃至于歌唱，时间上漫不可信的变迁；由温雅的儿女佳话，到流血成河的杀戮。"于是她在《平郊建筑杂录》中创造出一个建筑学的新概念"建筑意"："他们所给的'意'，的确是'诗'与'画'的。但是建筑师要郑重郑重地声明，那里面还有超出这诗画以外的'意'存在，即不叫他做'建筑意'，我们也得要临时给它制造个同样狂妄的名词。"

确实，当我们面对那些历经战乱烽火和风霜侵蚀有幸遗留下来的亭台楼阁时，一种与这种古建筑相关的怀古幽情，一种历史的记忆，一种岁月的沧桑感会在心头油然生起。这种人文景观与大自然原本存在的山川河流、风雨雷电并不同，它们保留着古代文化的某些信息，与古代人类的衣食住行和审美观念密不可分，是人类历史文化的实物见证。所以，这个"建筑意"，很准确地把握了建筑与人的主观世界、与人类社会历史文化、与时间和空间的相互关系，将建筑学研究注入了人文的色彩。"凝固的音乐"、"无声的史诗"就是"建筑意"最好的说明。这个概念的提出属于林徽因在建筑学方面独特的、富有文化学内涵的重要建树。中国古代诸子先贤，欧洲文艺复兴时期的巨人，大多能驰骋于艺术与科学两个领域，甚至在某一成果中同时放射两大领域的光辉。林徽因秉承的正是这种打通几个领域并融会贯通的创造精神和气质。

这样的学识才情，这样的坚忍精神，这样的业绩贡献，谁还会把林徽因看成是那些八卦传闻中只会撒娇卖萌、写写诗、调调情的小资女子？

　　我们还可以看一看林徽因和梁思成的学术地位。1923 年，他们在刚刚成立的东北大学创立了中国第一个建筑学系。后来又共同创建了清华大学（营照社）建筑系。30 年代初，林徽因与丈夫梁思成用现代科学方法研究中国古代建筑，成为这个学术领域的开拓者，取得巨大的学术成就。从 1930 年到 1945 年，他们夫妻二人共同走了中国的 15 个省，200 多个县，考察测绘了 200 多处古建筑物，很多古建筑就是通过他们的考察得到了世界、全国的认识，从此加以保护。比如像河北赵州石桥、山西的应县木塔、五台山佛光寺等。也正是由于在山西的数次古建筑考察，他们破解了中国古建筑结构的奥秘，完成了对《营造法式》这部宋代建筑学"天书"的解读。

　　梁思成是中国最杰出的建筑学家，清华大学建筑系的创办人。1947 年，有个学生到清华大学建筑系上学，老师告诉他，中国文化界有三个国宝级的人物：梁思成、陈寅恪、翁文灏。梁思成的建树，若没有林徽因的奉献是不可想象的。他坦然地承认："我不能不感谢徽因，她以伟大的自我牺牲来支持我。"有位诗人认为：林徽因"实际上却是他（梁思成）灵感的源泉"。梁思成和林徽因常常为一个看法，乃至一个词语表达争论不休。

　　林徽因的学术著作常常显得风格独特。她的气质里有东方的典雅之美。她不仅通晓英文，对汉语和古文的修养造诣也颇深。一位西方哲人说过，建筑是凝固的音乐。林徽因把枯燥的学术论文当成美文来写，这样她笔下的木石结构

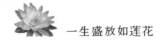

便有了灵性，字里行间流淌出诗样的韵律。使得容易枯燥乏味的建筑论文变得灵气生动，富有文采。

她的建筑灵感还常常在诗行中闪动：

"是谁笑成这百层塔高耸，

让不知名鸟雀来盘旋？是谁

笑成万千个风铃的转动

从每一层琉璃的檐边

摇上

云天？"

假如不是攀上古塔亲手测绘，体验了古塔每一层琉璃檐边的美感，亲耳听到百层塔上鸟鸣声的清脆和风铃声的宛转，怕是难以写出这样如云端飘来的美妙诗句。

梁思成有学者的稳重作风、严密思维和踏实精神。可是若论在文笔和才情，他显然逊于夫人。梁思成起草的文稿一般非得经过夫人修改润色才肯发表。他的文章里那些闪光的句子很多是林徽因的点睛手笔。同行们不无夸张地说，林徽因去世后，梁思成再也没能写出先前那样精彩漂亮的文章。更重要的是，林徽因基于她广博而深厚的中西学功底、"文艺复兴色彩"般的艺术气质，敏锐而准确的洞察力，为中国建筑学术作出了基础性的和发展方向性的重大贡献。她在理论上的作用完全不应低于任何一位与她同时期的建筑学者，她是一位真正意义上的先行者和思想者。

在中国现代建筑学史上，素来"梁林"并称，两人你中有我，我中有你。他们共同发表有关建筑的论文主要有《论中国建筑之几个特征》、《平郊建筑杂录》（与梁思成合著）、《清式营造则例》第一章绪论、《晋汾古建筑预查纪略》（署名林徽因、梁思成）、《由天宁寺谈到建筑年代的鉴别问题》（署名林徽因、梁思成）、《中国建筑史》（辽、宋部分）、《中国建筑发展的历史阶段》（与梁思成、莫宗江合著）。

林徽因在自己年少时选定的人生道路上，步伐稳健，姿态优雅，走得很远、很苦也很美好，很痛也很快乐。

她一路走来，风生水起，繁花开遍。

"莫道不销魂，帘卷西风，人比黄花瘦"

——（宋）李清照

美国电影《飘》中的斯佳丽，在美国南北战争中经历了辛酸流离的乱世人生，被称作"乱世佳人"。前面提到的李清照，也是一位在兵荒马乱中随宋室南渡、尝尽颠沛流离滋味的乱世佳人。林徽因也不幸遇到了这样苦难的战乱岁月，身心遭受极大摧残。然而，她在乱世里始终从容，在颠簸流离中保持着优雅与高贵。

1937 年 7 月 7 日这一天，她和丈夫梁思成正在山西五台山一带考察古代庙宇，发现了唐代木构建筑佛光寺。而这一天，"七七"卢沟桥事变爆发了。他们在山里见不到报纸，也没有电话，外面的事什么都不知道。直到几天之后来到代县，才知道北平发生了战事。当时也没有想到，这会是抗战爆发的标志。很快北平就沦陷了。身为一名建筑学家，最残酷的事莫过于眼睁睁地看着宛平城、团河行宫等历史名城、名苑惨遭炮火摧残。面对日本人的宴会请柬，梁思成愤然拒绝，带着两三个手提箱举家出走。

9月初，梁思成一家五口上火车去了天津。在天津小住了一段时日，梁思成将此前所有考察古建筑的资料全部存放在天津英租界英资银行保险库中。10月初一家人开始往长沙进发，历时二十多天，终于在10月下旬到了长沙。在长沙过了大约两个月的样子，又开始往昆明撤退。从长沙到昆明，原本十天的路程，他们走了差不多四十天才到。主要是林徽因患了肺炎发高烧。在晃县一家小旅馆里，一住就是两个星期，直到经过治疗，烧退了才继续上路。到了贵阳又休息了十几天，这样走走停停，就用了一个多月的时间。

到昆明已是1938年1月中旬了。林徽因的女儿梁再冰、儿子梁从诫就读于昆明的恩光小学。有一天，学校里来了一个叫陈璧君的广东女人，要给学生演讲。当时梁再冰并不知道她是汉奸汪精卫的妻子，只是清楚地记得，父母坚决不让她去听这次演讲。当时梁再冰还跟他们争辩，说同学都去了，为什么她不能去？父母说就是不能去。第二天，父母又问她，除了她还有谁没去？梁再冰就说，班上就她和张文朴（张奚若之子）没去。他们就笑了。

1940年夏，日军施行"疲劳轰炸"，军机频繁骚扰昆明。梁从诫撰文回忆，"有一次，日本飞机飞到了龙头村上空。低到几乎能擦到树梢，声音震耳欲聋。父亲把我们姐弟死死地按在地上不让动。我清楚地看见了敞式座舱里戴着风镜的鬼子飞行员，我很怕他会看见我，并对我们开枪。"这年冬天，根据教育部指

令，史语所和营造学社迁往迁往长江上游的一个千年古镇——四川南溪县的李庄，一个"地图上找不到的地方"。

11 月底，梁氏夫妇随中国营造学社迁往四川李庄。当时的撤退十分慌乱，梁思成在行前突发高烧，只得暂时留下休养。林徽因独自带着两个孩子和母亲，乘坐一辆客车出发。那辆客车里面装载了 30 多人，人多物杂，车厢拥挤不堪。每个人只好采取"骑马蹲裆式"，把两脚叉开坐在行李卷上，尽量缩小占有空间，随着车的颠簸动荡苦熬时日。

据梁从诫先生回忆："到威宁县城，天已全黑，而车子在离城门几里处突然抛锚。人们既不能卸下行李捐进城，又怕行李留在车里被人抢劫，最后只好全车人留在卡车里过夜。而我又偏偏发起高烧，妈妈只好自己拖着一家人进城为我找医生。次晨听说，夜里狼群竟围着车厢嗥了半宿。"

在群狼环伺的急难关头，身体柔弱、外表文静的林徽因竟有如此勇气，不能不说是源自一种做母亲的爱！

在四川李庄，梁思成一家住的地方叫月亮田，租住的农舍低矮破漏，竹墙外涂了一层薄薄的泥巴，墙缝里能透进皎洁的月光。

林徽因早年患有肺疾，在赴昆明途中就曾因肺炎发高烧，烧退后肺炎却没有痊愈。这次前往李庄途中饱受路途颠簸之苦，到李庄后终于引发了原本已经康复的结核病，卧床不起。这在当年属于不治之症。大西南物资贫乏，李庄整个镇子没有一所医院，也没有一位正式医生，更没有任何药品。家中唯一的一支体温计已被儿子梁从诫失手摔碎，搞得她大半年竟无法测量体温，只有靠自己的感觉来估计发烧的度数。在这种条件下，林徽因的病情日渐加重。那段日子，她几乎日日咳血，在生死线上挣扎，眼窝深陷，面色苍白，原来晶莹有神的双眸也失去了往日的光采。几个月的时间就毁灭了她曾经有过的美丽。

此时的情形，正如那位宋代才女李清照所吟："莫道不销魂，帘卷西风，人比黄花瘦"。也许，每一次风雨都是一次历练，每一次颠簸流离的遭际都是一次内心力量的成长，犹如一只凤凰在痛苦中浴火重生。

而梁思成年轻时车祸受伤的后遗症也不时发作。脊椎软组织硬化症使他必须穿上铁马甲才能坐直，经常痛得无法坐立。体重降到四十七公斤。梁思成学会了肌肉注射和静脉注射，自己亲手为林徽因打针。当时在李庄的生活非常困窘，由于营养不良，林徽因的身体日渐消瘦。梁思成不得不学着蒸馒头、煮饭、做菜，还从当地老乡那儿学会了腌菜和用橘皮做果酱。到最后山穷水尽，梁思成只得到宜宾去当卖衣物。衣服当完了，又把陪伴了自己几十年的派克金笔和手表送到当铺，换回两条草鱼。即便如此，夫妇俩仍然不改乐观豁达的生活态度，梁思成提着两条草鱼回家，幽默地对林徽因说："把这派克笔清炖了吧，这块金表拿来红烧。"

经过大半年的治疗和静养，人总算挣扎着活过来了。虽然曾是出身名门的大小姐，曾是"太太客厅"里的宠儿，此时的林徽因却丝毫没有娇小姐习气。可以想象，此时的林徽因经历了人生的诸多磨难，经历了家国沦丧和流离失所，

心智和性情早已历练得成熟而坚强。那个向往浪漫生活的、不知愁滋味的林徽因，已经永远地留在了过去的岁月。

没有怨天尤人，没有灰心丧气，她开始以一种超然的眼光看待生活中面对的困顿和苦难。两间简陋的房子，她总是收拾得井井有条，窗户是用粉白连史纸糊过的。窗台上的玻璃瓶里，经常插着她从田野里采来的各种鲜花。她说："我认定了生活本身是矛盾的，我只要生活，体验到极端的愉快，灵质的、透明的、美丽的、近于神话理想的快活。"

她在一封1941年写给费慰梅的信中写道："思成是个慢性子，一次只愿意做一件事，最不善处理杂七杂八的家务。但杂七杂八的事却像纽约中央车站任何时候都会抵达的各线火车一样冲他驶来。我也许仍是站长，但他却是车站！我也许会被碾死，他却永远不会。"文字间显出了自我调侃的幽默感，姿态优雅而从容。

家庭生活给林徽因的心灵带来一种安恬和温暖，她曾写道："思成笑着，驼着背（现在他的背比以前更驼了），老金正要打开我们的小食橱找点东西吃，而孩子们，现在是五个——我们家两个，两个姓黄的，还有一个是思永（思成的弟弟）的。宝宝常常带着一副女孩子娴静的笑，长得越来越漂亮，而小弟是结实而又调皮，长着一对睁得大大的眼睛，他正好是我期望的男孩子，他真是一个艺术家，能精心地画出一些飞机、高射炮、战车和其他许许多多军事发明。"

身体稍微恢复，林徽因便在菜籽油灯的微光下，缝着孩子的布鞋，买便宜的粗食回家煮。梁思成在给好友费正清夫妇的信中这样描述："在菜油灯下，做着孩子的布鞋，购买和烹调便宜的粗食，我们过着我们父辈在他们十几岁时过的生活但又做着现代的工作。我的迷人的病妻因为我们仍能不动摇地干我们的工作而感到高兴。"

那时，没有电，没有自来水，每日伴随他们的是臭虫和油灯。就是在这样几乎是原始穴居状态的生存条件下，他们夫妇俩接受国立编译馆的委托，在菜籽油灯的微光下编写《中国建筑史》。林徽因的书案上、病榻前堆积起厚厚的《二十四史》和数以千计的照片、实测草图、数据以及大量的文字记录。她承担了《中国建筑史》全部书稿的校阅和补充工作，并执笔写了书中的第七章，五代、宋、辽、金部分。这一章是全书的主干，共有七节。

那时，林徽因经常咳血，却在写作中获得了极大的快慰，写作时便进入忘我的境界。梁思成在常常挑灯彻夜绘图。因为脊柱严重受损，他俯身在画板上时经常要用一个小花瓶支住下颌，以减轻头部对脊柱的拉抻。费慰梅回忆说："思成的体重只有 47 公斤，每天和徽因工作到夜半，写完 11 万字的《中国建筑史》，他已透支过度。但他和往常一样精力充沛和雄心勃勃，并维持着在任何情况下都像贵族一样高贵和斯文。"

费正清和费慰梅了解到梁氏夫妇在李庄的困境后，多次来信劝他们去美国治疗、工作，梁思成和林徽因婉言谢绝了。给费正清夫妇回信说："我们的祖国正在灾难中。我们不能离开她，假如我们必须死在刺刀或炸弹下，我们要死在

祖国的土地上。"

这决不只是空洞地说一说，他们内心确实做好了必死的准备。1944年11月，日军攻陷桂林，一路北进，有直扑四川之势，李庄这边人心惶惶，梁氏夫妇也做好了最坏的打算。儿子梁从诫后来曾问母亲："如果日本人打到四川你们怎么办？"林徽因特别平静地回答："中国读书人不是还有一条老路吗？咱们家门口不就是扬子江吗？"儿子急了，又问："我一个人在重庆上学，那你们就不管我啦？"病榻上的林徽因握住儿子的手，仿佛道歉似地小声说："真要到了那一步，恐怕就顾不上你了。"听到妈妈的话，梁从诫的眼泪夺眶而出。

梁从诫后来回忆说："我当时看着妈妈，我就觉得她已经不是我熟悉的那个妈妈了，她好像变成另外一个人，面对死亡，那样超脱。"其实，林徽因是要告诉儿子，中国读书人在这种危难时节只有义不受辱、以身殉国一条路。这也许就是中国知识分子在危难关头的气节。

林徽因曾经在李庄病榻上留下一张旧照。一袭素衣，面色平淡，半卧床头，面容清减。然而目光却是那么专注，神采奕奕。那种从容淡定的高华气度直指人心。李健吾先生闻听林徽因虽罹患重病而不离开祖国时，曾激动地说："她是林长民的女公子，梁启超的儿媳。……美国聘请他们夫妇去讲学，他们拒绝了，理由是应该留在祖国吃苦！"

有道是："生当做人杰，死亦为鬼雄。至今思项羽，不肯过江东。"

此时的林徽因，从性情、气质到思想信念都极象是南渡以后的李清照。经历了战乱流离和疾病折磨，她从精神上完成了一次华丽的蜕变和升华。从一个美丽多情的浪漫才女变成一位坚韧而爱国的知识女性。

最后，他们夫妻二人共同完成了 11 万字的《中国建筑史》初稿。

正是由于他们从三十年代初至抗日战争爆发期间，走遍中国 15 个省 200 多个县，实地勘察 2000 余处中国古代建筑遗构，撰写有关建筑方面论文、序跋等二十余篇，从而为最终完成这部《中国建筑史》专著奠定了坚实基础。林徽因在融会材料、描述史实的过程中，融入深邃的哲思和审美的启示。书中所有文字大多经过她的加工润色。这些文字集科学家的理性、艺术家的激情于一体，常能见人所未见，发人所未发。梁思成在《图像中国建筑史》的前言中表达了对徽因的热爱和敬重："最后，我要感谢我的妻子、同事和旧日的同窗林徽因。二十多年来，她在我们共同的事业中不懈地贡献着力量。"

费慰梅在《回忆林徽因》中这样描述：昆明遭到敌机轰炸，林徽因一家与中国营造学社人员迁到四川南溪县李庄。此时已是抗战的中后期，物价昂贵，物资匮乏。林徽因肺病复发，不但连药品都买不到，甚至还要靠朋友们资助才能维持日常的家庭开支。她的健康严重地被损坏了，经常发烧卧床不起，但林徽因并没有怠惰，她躺在病床上通读二十四史，积累了丰富的资料，帮助梁思成写成了《中国建筑史》，这是中国人第一次写成的自己国家的建筑史。

这部《中国建筑史》是他们夫妻才气学识的体现，更是一代中国优秀知识分子向苦难中的祖国捧出的赤诚之心。

正如那传说中的杜鹃啼血，精卫衔石，其精诚忠贞感人肺腑。

林徽因夫妇相濡以沫，在艰难环境中互相搀扶和砥砺，引起许多人的羡慕。他们的英国朋友里查斯说："他们两人合在一起形成完美的组合……一种气质和技巧的平衡，即使在其早期阶段的成果也要比其他的组成部分的总和大得多，这真是一种罕有的产生奇迹的佳配！"

他们的挚友、美国学者费正清夫妇说："在我们历来结识的人士中，他们最具有深厚的双重学养，因为他们不但受过正统的中国古典文化教育，而且在欧洲和美国进行过深入的学习和广泛的旅行，这使他们得以在学贯中西的基础上形成自己的审美兴趣和标准。"这位曾亲眼见过他们在川西小镇李庄艰苦境况的美国学者，表示了由衷地赞叹，"倘若是美国人，我相信他们早已丢开书本，把精力放在改善生活境遇去了。然而这些受过高等教育的中国人却能完全安于过这种农民原始生活，坚持从事他们的工作。"

如花美眷，似水流年。一切美好的外在都会悄然褪色，在指尖上悄然流走，凋零，最后落入尘埃。然而在时光的烟尘里，却有一些东西永远令人伫望迷恋。那就是深藏于人们内心的美好情感和人格。

那是一处人间绝美的风景。

1945 年 8 月，日本侵略者宣布无条件投降。消息传来，贫病交加的林徽因、梁思成夫妇，欣喜若狂，8 年的离乱终于结束了。可是梁思成当时不在李庄，在重庆正与两位年轻作家在美国大使馆食堂共进晚餐。未能与夫人一起庆贺这个胜利的日子，让他颇为遗憾。

在李庄的林徽因四年来第一次离开居室，拖着病体坐滑竿来到茶馆，以茶代酒，庆祝抗战的胜利。梁思成兴致勃勃地回到李庄镇后，把家里仅有的一点钱，买了肉和酒，还请了莫宗江一起相庆。林徽因也很痛快地饮了几杯。

乘着酒兴，梁思成大声教两个孩子朗诵杜甫的诗：

剑外忽传收蓟北，初闻涕泪满衣裳。

却看妻子愁何在？漫卷诗书喜欲狂！

白日放歌须纵酒，青春作伴好还乡。

即从巴峡穿巫峡，便下襄阳向洛阳。

即将随父母回到阔别多年的故乡北平了，孩子们也欢呼雀跃起来。

然而，抗战期间艰难困苦的生活，已经极大地损害了林徽因的健康。梁思成和林徽因来到重庆。好友费慰梅找来美国著名的胸外科医生里奥·埃娄塞尔博士，为林徽因进行了肺部检查。结论是令人绝望的。他向梁思成和费慰梅说，林徽因两肺和一个肾都已感染结核，存活期或许只有五年。梁思成听到这个消息，宛若五雷轰顶。

他无法接受这个事实，呆呆地看着林徽因。林徽因却什么都没有问，只是轻轻地拉起梁思成的手，说："走吧，咱们回家。"

1947 年 10 月林徽因住进中央医院，甚至写信给费慰梅做了最后的道别。病榻上，林徽因托人带话给张幼仪请求一晤。张幼仪携徐志摩之子徐积锴赶往医院，林徽因仔细地望着张幼仪母子，却虚弱得什么话也说不出来。这次见面所求为何，林徽因没有说，张幼仪也不知道。

繁华与落寞终是一墙之隔，如生命的列车驶过每一个景点，领略的不仅只有美丽，亦有荒凉。这个时刻，应当是徽因在向曾经的青春岁月，作最后一次深情的回眸凝望。

张小娴曾说："当我老了，有一天，在我要回去的那个地方，那个连鸟儿都抵达不了的彼岸，我会想念我写过的那些书，想念那些陪伴过我的文字，想念那些我被想念着也想念着我的人。当一切都结束，在远方不再有想念，我是那样想念曾经那么想念一个人的甜蜜和苦涩、辛酸与孤独。虽然那时候不知道那样的想念有没有归途，能够想念一个人，也被人想念，生命的这张地图终究是漂亮的。"

远眺或回眸，等待或远行，留恋或遗忘，相逢或错过，都不再去计较了，纠缠了。当曾经的心结终于解开，生命便圆满如山岗上的清风明月。

1944 年，世界反法西斯战争出现重大转折。在太平洋战场，美国"地毯式轰炸专家"李梅将军指挥美军对日本本土实施大规模地毯式轰炸。

时任"战区文物保护委员会"副主任的梁思成也接到了一项特殊任务——编制一份沦陷区的文物建筑表，并在军用地图上标注出其位置。他同学生不分昼夜地绘制地图。在梁思成标记的地图中，有一份特殊的地图，上面划着两个圆圈，那便是日本古都京都和奈良。

梁思成专程带着地图赶到美军设在重庆的指挥部，苦劝美军布朗森上校不要轰炸奈良。因为奈良保存着当时世界最完善的唐代木建筑，属于全人类的文化遗产。梁思成的提议最终被美军指挥部采纳。在盟军对日本本土的大规模轰炸中，仅东京在一夜间就承受了 2000 吨燃烧弹和数十吨汽油，全城成为一片火海。其他重要城市也都遭到了毁灭性的打击，只有京都、奈良这两座古城奇迹般得以保全，遍布二都的宫殿、城墙和寺院也毫发无损。

后来，在奈良被宣布为世界历史文化名城三十周年纪念日时，《朝日新闻》特刊文《日本古都恩人梁思成氏》，盛赞梁思成的义举；日本古建筑权威福山敏男也满怀感激地说："梁思成先生是我们日本的大恩人，是他在二战中向美国提出了保护奈良和京都的建议，我们的古都才得以免遭滥炸而保存下来。我们永远不会忘记他。"

梁思成夫妇被奈良人称为"恩人"，称赞梁是"世界上最伟大的古建筑学家"。其实，值得称道的是一代中国知识分子超越于个人和民族恩怨之上的良知和胸怀。梁思成保护世界文化遗产的价值观念及其践行，甚至要比联合国教科文组织的《保护世界文化与自然遗产公约》早了近 30 年。更重要的是，这种选择建立在超越国仇家恨的基础之上。

诚如其子梁从诫所言："我父亲做出这个建议是不容易的，我们家有两个人直接死在抗日战争前线。"梁思成和林徽因一家都恨透了日本鬼子。林梁一家在 1937 年 11 月与 1939 年 1 月两次险些在日军的轰炸中丧命。梁思成的弟弟梁思忠担任第十九路军炮兵校官，在"淞沪会战"的硝烟中牺牲；林徽因的三弟林恒牺牲在抗日的空中战场。在重庆大轰炸的烈火中，谦谦君子梁思成目睹惨状曾发出怒吼："多行不义必自毙，总有一天我会看到日本被炸沉的！"

然而，他们并没有因此失去学者的理性和良知。

抗战胜利后，梁思成、林徽因夫妇被清华大学建筑系聘为教授，全家搬进了清华园新林院 8 号教授楼。

在内战即将开始的时候，国民党当局企图迫使北平各高等学校南迁。教育部督学来清华交换迁校意见时，林徽因和梁思成当即表示留在北平。她对其它要留下来的同事说："放心吧，我们不会走的，我们与你们一起迎接解放。"

平津战役前夕，中共决意争取和平解放北平。即使非打不可，也得尽全力保护古建与文物。某天，两名年轻的军官在张奚若引领下，来到清华园新林院8号梁林寓所。他们拿出一张北平城的作战地图，请林徽因和梁思成在军用地图上标出重要古建筑，划出禁止炮击的地区以便攻城时炮火避开。他们告诉梁思成，此图作为攻城之用，宁愿多流血也得尽可能保护古建筑。梁林二人大为感动，对共产党人有了更深的认识。那一刻，梁思成甚至想到了过去读《孟子》时所讲的"箪食壶浆，以迎王师。"接着，林徽因又和同事们在一个月的时间内，完成了厚厚一本《全国重要文物建筑简目》，为解放全中国时人民解放军作战及接管时保护文物提供了重要依据。

新中国的一切都是崭新的、朝气蓬勃的，短短的几个月里，社会生活的巨大变化，简直让人目不暇接。满怀一腔报国热情的林徽因被聘为清华大学的一级教授，主讲《中国建筑史》课程，并为研究生开设《住宅概论》等专题课。她成为北京市都市计划委员会委员、中华人民共和国国徽设计小组成员、人民英雄纪念碑建筑委员会委员。她还是北京市第一届人民代表大会代表、全国文代会代表。这一切都来得如此迅疾而不容分说，完全出乎她的意料。新政权是重视科学文化、重视知识分子的。这让她惊讶和自豪，也让林徽因更加振奋和感动。

为了做好设计国徽、设计人民英雄纪念碑等重要工作，林徽因把自己的整个身心都投入进去了。自从接受了国徽设计任务后，林徽因紧张地忙碌了两个多月。清华送审的第一稿国徽设计方案却未能通过，审查委员会认为这个方案体现"政权特征"不足，应该在国徽里面加上标志着新民主主义革命胜利的天安门。

按周恩来和政协的要求，清华大学和中央美院两个设计小组重新设计国徽方案。对于天安门，林徽因和梁思成胸有成竹。他们早在３０年代就测绘过天安门和故宫，他们找出了当年营造学社绘制的天安门平面图、立面图和剖面图，这些图纸分别按百分之一和二百分之一的比例绘制而成。林徽因和设计小组一起讨论、修改，画了无数张草图，提出了无数个建议，修改了无数个细节。林徽因和思成一连数日通宵达旦地工作，家里变成了一个繁忙的工作间。到处铺满了各个国家的国徽，小组讨论的每一次草图。林徽因靠在枕头上，在床上的小杌上作图，累得支持不住了就躺一阵，起来再接着画。

最后的图案终于完美地出现在人们眼前：金色浮雕的天安门立面图庄严肃穆，上方是五颗金色浮雕的五角星。金色五星衬在大红底色上，像是一面铺天盖地的五星红旗；图案外围环绕着金色稻穗和齿轮浮雕，稻穗和齿轮由大红色的绶带联结在一起。整个图案左右对称，由金、红两种温暖颜色组成，庄严美观、醒目大方，具有鲜明的民族特色。

等到汽车把制作好的国徽模型拉走了，林徽因和梁思成才长吁了一口气，双双累得大病一场却心情十分愉快。当清华小组设计的国徽图案最终入选的消息传来，林徽因和设计小组的同事们大笑欢呼后相拥而泣，几个月以来的劳累一扫而光。

1950 年 6 月 23 日，中南海怀仁堂。全国政协第一届二次会议在这里召开，大红色的宫灯悬挂在主席台上，孙中山和毛泽东的巨幅画像摆放在主席台的正中央。林徽因被特邀出席会议。今天这个会上，新政权要正式确定中华人民共和国国徽。

会议开始后，在毛泽东的提议下，全体与会代表起立，以鼓掌的方式通过了中华人民共和国国徽。巨大的幸福感像潮水般淹没了林徽因，她却虚弱得几乎不能从坐椅上站立起来。

这时，林徽因的病情已经非常严重，每天吃得很少，夜里全靠安眠药才能睡四五个小时。她又接到了为亚太地区和平会议代表设计制作景泰蓝等工艺品的任务。

一天，林徽因和梁思成在北京海王村旧古玩摊考察北京的特种工艺，被一只景泰蓝花瓶吸引。摊主见他们很喜欢，便说："二位先生还是有眼力的，这是正宗老天利的景泰蓝，别处你见不到了。就是老天利这家大字号，也撑不住快关张了。北京的景泰蓝热闹了几百年，到这会儿算是快绝根了。"摊主的话引起了梁、林对景泰蓝的关注。

林徽因一直有着天然的艺术情结，对景泰蓝这样的工艺品非常喜爱和关注。景泰蓝的制作工艺包含了青铜工艺和瓷器工艺，同时又引入了绘画和雕刻技艺，堪称中国传统工艺的集大成者。她拖着带病之身，跑了一家又一家手工艺品工厂，发现不过只是些小手工作坊。而制作景泰蓝的几家作坊更是破败零落。当时的景泰蓝作坊，大的不过二三十人，小的只有两三人，工人多在低矮、昏暗的作坊从事手工操作。景泰蓝的制作工艺复杂，生产成本高，加上设备和材料简陋、销售不畅，这些作坊处于倒闭的边缘。一些从事了一辈子景泰蓝制作的老艺人，听说大学里来的林徽因想进行景泰蓝工艺改良时，握着林徽因的手，激动老泪纵横："你们救救景泰蓝吧。"言语之恳切，竟似生怕景泰蓝从他们手里失传一般，情景令人心酸。

经过多次走访调研，林徽因和梁思成商议后，决定在清华建筑系成立一个美术组，把自己研究的中国传统艺术和手工艺品结合起来，抢救这一濒于灭绝的中国独有手工艺品。林徽因多次和美术小组成员们一起，到作坊里去了解景泰蓝的生产工艺，观看工人的操作流程。她对每个工序都有兴趣，经常要动手试一试，掐丝、点蓝、烧蓝……那些绚丽多姿的艺术品原来就是这样诞生的。她发现，这些工人师傅的手艺其实是很高超的，但是由于传统产品造型落后俗气、色彩图案陈旧，几百年来仅有牡丹、荷花、如意等几种图案，致使这一具有民族特色的手工艺品濒于停业。

她和美术小组的人一起设计绘制了一批新的图案，这些景泰蓝图案有的出自汉代刻玉纹样，有的出自于敦煌北魏藻井和隋唐边饰图案，也有的出自宋锦草纹和明清彩瓷。其中祥云火珠的图案简洁明快，敦煌飞天的形象浪漫动人。他们把这些新图案拿到作坊中去，看着工人师傅们按照工艺程序操作。当样品成功地烧制出来后，林徽因捧着漂亮精致的景泰蓝工艺品格外高兴。此后，她怀着极大的热情沉浸在景泰蓝工艺品的图案创作中。谁都不会相信这是个身患重病、非常清楚自己将不久于人世的人。亚太地区和平会议在北京顺利召开，和平礼物送到了亚太各国代表的手中。苏联著名芭蕾舞演员乌兰诺娃得到了飞天图案的景泰蓝。这位"天鹅公主"喜欢极了："这是代表新中国的新礼物，真是太美了！"

鉴于林徽因为拯救北京特艺做出的贡献，她作为美术家协会代表被邀请参加全国第二届文艺工作者代表大会。会上，她见到了她以前在文坛上的老朋友，象沈从文、萧乾等都作为文学界的代表出席，而唯独在文坛素有才名的她却作为美术界的代表出席，这种戏剧性的场面让人啼笑皆非，却也证实了林徽因在不同方面所具有的卓然不凡的博学才智。

1951 年，梁思成、刘开渠主持设计人民英雄纪念碑。林徽因被任命为人民英雄纪念碑建筑委员会委员，承担了设计碑座饰纹和花圈浮雕的任务。此时她已经病得不能起床了。在卧室兼书房里安放了两张绘图桌，找了一个建筑系应届毕业生做助手。

从总平面规划到装饰图案，她逐一斟酌推敲，反复研究每一个细节。每绘一个图样都要逐级放大，审看视觉效果，直至最后定案。在设计风格上，林徽因主张以既大气奔放、又精致华美的唐代艺术风格做蓝本，她说："盛唐文化是中国历史上的华彩乐段，显示着时代风貌和社会形态。秦汉雕塑以阳刚之美为

主，体现了积极进取的生命力量，而唐代雕塑则刚柔并济，同时吸收了南朝文化的精致、细腻、华美的自然灵气……基本上完成了中国古代文化艺术的结构体系。这些正是我们要借鉴的。唐代艺术具有与欧洲文艺复兴类似的人文主义特点，能更好地表达人民对英雄的歌颂与怀念。"

两个月的时间，林徽因和助手画了数百张图案，最后选定以橄榄枝为主体的花环设计。在上千种花卉中，她最后选定了牡丹、荷花和菊花这象征高贵、纯洁和坚韧的三种"国花"。须弥座正面设计为一主两从三个花环，侧面为一只花环。它们与基座的浮雕相互辉映，如同一组上行的音阶，把英雄的乐章推向高潮。建筑委员会讨论通过了林徽因的设计方案。

生如夏花，她那病弱的生命在竭力绽放着绚烂的最后光彩。

林花谢了春红，太匆匆，无奈朝来寒雨晚来风。

胭脂泪，留人醉，几时重？自是人生长恨水长东。

——李煜《相见欢》

1950 年，林徽因被任命为"北京市都市计划委员会"委员兼工程师，梁思成兼副主任。夫妇二人对未来首都北京的建设充满了美好的憧憬，他们反对拆毁城墙、城楼和某些重要古建筑物，力主保存北京古城面貌，欲给后人留下一个"活着的博物馆"。

林徽因则对北京这座古城充满了深深热爱，视同自己的家园。她曾兴致勃勃地向学生介绍北京的历史，如数家珍："北京城几乎完全是根据《周礼·考工记》中'匠人营国，方九里，旁三门，国中九经九纬，经涂九轨，左祖右社，面朝后市'的规划思想建设起来的。"

　　正如林徽因所说，北京有三千多年的建城史和八百多年的建都史。北京城墙和城门，是元、明、清等朝代在北京立都所留下的宝贵文化遗产，把北京建成一座四四方方的棋盘式都城，每一段城墙间建一道城门，城门与城门之间以大道相连，所有的街道呈正东、正西、正南、正北，以致走在北京大街，踩着枯黄圆小的榆树落叶，使人觉得马路又宽又直又长。

　　人们常说城市建筑是"凝固的音乐"、"无声的史诗"。事实上，整个北京古城都是一部气势恢宏、格调凝重古朴的史诗般建筑群。北京的故宫，就是中国乃至世界上现存最大最完整的古代建筑群。故宫布局严整统一，形体雄壮典丽，它集中体现了中国古建筑的独特风格。故宫建筑群是在一条由南向北的中轴线上展开的。从天安门入端门，到午门，一个门洞套着一个门洞，层层推进，这种笔直幽深的空间变化造成一种神秘而严肃的气氛。一过午门，顿觉开朗，再过太和门，空间更加开阔。这突然出现的占地 2.5 公顷的空间，给正面耸立在汉白玉台基上的太和殿（即金銮殿），增添了一种宏大壮丽而又肃穆森然的气势，使人从精神上感到一种威慑和震惊。从天安门到太和殿，地平标高度逐渐上升，建筑物形体越来越大，庭院面积逐渐开阔，这些逐步展开的空间变化如同乐曲中的渐强音，充分烘托了太和殿这个辉煌的高潮。

　　梁思成和林徽因两人合写的《平郊建筑杂录》文中说：北平四郊近二三百年间建筑遗物极多，偶尔郊游，触目都是饶有趣味的古建筑。……无论哪一个巍峨的古城楼，或一角倾颓的殿基的灵魂里，无形中都在诉说，乃至于歌唱，时间上漫不可信的变迁。

为了保护北京古城原有面貌，梁思成与陈占祥曾提出把行政中心放到北京西郊，这里与老城相距不远，在此建设可免去老城区大规模的拆迁安置，从而避免了费时、费力、毁损文物、劳民伤财，也为将来的发展预留出储备空间，同时还预防了城内上班城外居住所带来的交通压力。城墙内的老北京则作为一个完整的历史文化名城加以保护和修缮，如此可"古今兼顾，新旧两利"。这就是梁思成、陈占祥提出的北京城市规划建议，史称"梁陈方案"。这是一份具有超前文化眼光的城市建设方案，其中所包含的正是世界上最先进的城市发展理念。它的真正意义在四、五十年后才被大多数人所认识到。

可惜，当时的人们是无法顾及的。1953 年 5 月，北京市开始酝酿拆除牌楼，对古建筑的大规模拆除开始在这个城市蔓延。古朴雄伟的明清城墙转瞬之间化为乌有，大部分城砖被用作修房子、铺道路、砌厕所、建防空洞。这对于梁思成、林徽因来说无疑是一场痛心疾首的悲剧。梁思成痛苦地说："拆掉一座城楼，就像割掉我的一块肉；扒掉一段城墙，就像剥掉我的一层皮！"

时任北京市副市长的吴晗担起了解释拆除工作的任务。为了挽救四朝古都仅存的完整牌楼街，梁思成上书周恩来、聂荣臻，并与吴晗发生了激烈的争论。眼看着具有数千年历史的古建筑没有毁于战争，却要在和平时期被拆毁，梁思成被气得当场失声痛哭。

1953 年一个夏夜，文化部官员郑振铎邀请在京的文物界知名人士聚餐会上，席间，郑振铎说，推土机一动，祖宗的文化遗物就此寿终正寝。一向优雅的林徽因动怒了，她冲动地指着负责拆迁的北京副市长吴晗的鼻子大声谴责道："你

们真把古董给拆了，将来要后悔的！即使再把它恢复起来，充其量也只是假古董！"同济大学教授陈从周回忆道："虽然那时她肺病已重，喉音失嗓，然而在她的神情与气氛中，真是句句是深情。"

令人伤感的是，当时北京城尚留存着四十六公里长的明清城墙环抱，林徽因称其为"世界的项链"也准备拆掉。1935 年，林徽因在自己的小诗《城楼上》还曾写道：

"……

你爱这里城墙

古墓，长歌，

蔓草里开野花朵。

好，我不再讲

从前的，单想

我们在古城楼上……"

她有一个绝妙的构想，让城墙承担北京城的区间隔离物，同时变外城城墙和城门楼为人民公园，顶部平均宽度约十米以上的城墙可砌花池，栽种花木；双层的门楼和角楼可辟为陈列馆、阅览室、茶点铺，供市民休息娱乐、游戏纳凉。林徽因为自己的设计画出了草图，幻想着全世界独一无二的"空中花园"，幻想着一场视觉的盛宴。然而，城墙公园计划注定只能是一个纸上风光了。

这一切曾经是铭刻在夫妻俩心灵深处的故园风景，寄托了一份对民族传统文化十分厚重的历史情感。在梁启超和林徽因看来，这种无法割舍的情愫就象是精神故乡一样的深厚绵长。常人是无法理解的。梁思成夫妇异常伤感，到处求人，甚至向总理做了请示。他们以诗一样的语言向总理描述：城墙上可以绿化，供市民游乐。城门楼可以改造成图书馆。护城河可以引进永定河水，夏天放舟，冬天溜冰。

为了保留这"世界的项链"，林徽因还曾闯入北京市领导的办公室据理力争。领导说不过她，最后只得拿出来自中南海一言九鼎的批示："城墙是封建象征，是皇帝挡农民的。"梁从诫回忆说："五百年古城墙，包括那被多少诗人画家看做北京象征的角楼和城门，全被判了极刑。母亲几乎急疯了。她到处大声疾呼，苦苦哀求，甚至到了声泪俱下的程度……然而，据理的争辩也罢，激烈的抗议也罢，苦苦的哀求也罢，统统无济于事。"不久，梁思成遭到批判，但他告诉彭真："五十年后，历史将证明你是错的，我是对的。"

两位曾经在战时为日本保护下两座古都的优秀中国学人，却没能使自己国家的千年古都在和平时期免于毁灭，其心中之痛可想而知。林徽因当日的金刚怒吼，有如那传说中的声声杜鹃啼血，今天听来格外沉痛，也格外激越。

不久，文化界就开始了一场批评梁思成资产阶级建筑思想的运动。当时林徽因已病重住院，梁思成没有告诉妻子。不久梁思成也病了，住在同一家医院，

隔壁的另一间病房。

到 3 月底，林徽因一直发着高烧，昏迷不醒。为了照顾林徽因的情绪，人们刻意隐瞒了批判梁思成的消息。可她却从人们欲言又止的神情中敏感地觉察到了，内心更是忧愤交加，拒绝吃药。医院组织了最有经验的医生进行抢救，可是她的肺部已经大面积感染，身体极度虚弱，生命已到了油尽灯灭的时候。

3 月 31 日的深夜，处于弥留状态的林徽因突然用微弱的声音对护士说，她要见一见梁思成。护士回答：夜深了，有话明天再谈吧。然而，林徽因已经没有力气再等待了。1955 年 4 月 1 日清晨 6 时 20 分，林徽因静悄悄地离开了人间，走完了她 51 岁的生命旅程。她最后的几句话，竟没有机会说出。

梁思成被扶到了林徽因的病房，为妻子送行。从不流泪的他放声痛哭，不能自己，喃喃自语："受罪呀，徽，受罪呀，你真受罪呀！"

"原来姹紫嫣红开遍，似这般，都付与断井颓垣。"伴随着古城墙的轰然倒塌，林徽因离开了这个她深深爱过的世界。

那个时代的行为远超出了林梁二人的想象，北京的城墙扒掉了，全国各地的城墙和大量古建筑也灰飞烟灭。梁思成、林徽因痛心疾首，为此还流了泪：保护传统文化中的建筑精华，是对文明精神传承的血脉延续，更是一代知识分子乃至炎黄子孙最后的灵魂家园。家园一失，灵魂何处安栖？

原本美丽而完整的、在当世独一无二的古都北京终于消失了。那些明清古城墙经历了五百年多改朝换代的战乱烽火得以完整地保存下来，却在和平年代中被彻底拆除。林徽因和丈夫为保护北京古建筑所做的一切努力，在那样一个剧烈变动时代的背景下显出宿命般的悲壮色彩。

事实后来最终证明了他们的远见。四十年后，约 1996 年的岁末，北京市开始修缮一小部分破损的明清城墙，整个北京城都掀起了一场捐献旧城砖的活动。2004 年 8 月 18 日，重建的永定门城楼竣工。这个景观林徽因没有看到，即使看到了只会让她愈加沉痛。因为那已经不是原来意义上的古建筑，而是"假古董"。

林徽因在世界上只活了 51 岁。从二十六岁开始，她就因患病经常住院，四十多岁时医生告之将不久于人世。即使如此，林徽因在身体极度虚弱的情况下，还以羸弱之身作了最后的三次拼搏：第一次是参与设计中华人民共和国国徽，她是清华国徽设计小组中惟一的女性，绘图、试做、讨论、修改都在病中完成；第二次是抢救传统工艺景泰蓝；第三次是参与人民英雄纪念碑的设计工作，主要承担纪念碑须弥座装饰浮雕设计。这也是她生命中最后的英雄乐章。

林徽因仅仅只是那一代知识分子的一个象征，他们的学识、才情和风骨，尤其是他们的高尚人格、报国情怀和热血肝胆，都已经铸成了我们这个国家历史的一部分。也许，天安门广场上的人民英雄纪念碑是他们这一代学人最好的见证。他（她）们创造了它，然后自己又成为它的一部分。

林徽因去世之后，因参加国徽和人民英雄纪念碑设计有贡献，北京市人民政府把她安葬在八宝山革命烈士公墓。梁思成亲自为她设计了墓碑：把她亲手

设计的一方汉白玉花圈刻样移做她的墓碑。墓体朴实、简洁，体现了她一生追求的民族形式。

而一代建筑大师梁思成在接踵而至的政治运动中，备受批判和折磨。在"文革"中被打成"反动学术权威"，含冤去世。文革结束后予以平反，因生前是全国人大常委，骨灰安放于党和国家领导人专用骨灰堂，跟林徽因墓只一箭之遥。

最后去世的金岳霖，骨灰也安放于八宝山革命公墓。他们三个人在另一个世界里又比邻而居了。金岳霖从人间带去的话，终有机会跟林徽因说了……

"锦瑟无端五十弦，一弦一柱忆华年。"作为一个女人，林徽因五十一年的人生精彩至极却也不乏辛酸。

她是一个以诚相待的朋友、深明大义的学者、温婉如水的妻母，以及让人难以忘怀的恋人。她的一生，把浪漫给了徐志摩，把一生给了梁思成，把回忆给了金岳霖。最终她成全了他的丈夫，也成全了她的祖国。

"个个连环，永打不开，

生是个结，又是个结，

死的实在，一朵云彩。

长条旅程，永在中途，

生是串脚步，泥般沉重，

死是尽头，不再痛苦。

一曲溪涧，日夜流水，

生是奔逝，永在离别，

死只一回，它是安慰。"

——林徽因《死是安慰》

正如一位当代作家所说，林徽因，这个受过东西方双重文化教育熏陶的绝代佳人，为这个世界留下她的美丽和风采，也留下了她的业绩和风范。她是中国现代知识分子的骄傲，也是中华民族的骄傲！她是天地日月精气凝聚成的一个才女，也是中西文化共同铸造的一个女神。

也许未来的人们有一天会记起，中国的北京曾经拥有一串最美丽的"世界的项琏"，有庄严肃穆的城墙，有高大壮观的城门楼。想起这些，人们就会想起有一对相濡以沫的夫妻，一个叫梁思成，一个叫林徽因，为了保卫这北京城最美丽的"世界的项琏"而奔走呼告，以至痛彻肺腑，潸然泪下。

人们并没有忘记她。2007 年 8 月 23 日，林徽因纪念碑落户杭州花港观鱼公园。纪念碑由杭州市政府和清华大学建筑学院共同建造。在这块新颖别致的纪念碑上，人物像和记述文字全部镂空。镂刻的正是林徽因少女时代穿着裙子的青春影像。

也许我们今天这个时代，可以生产成批的珠光宝气、衣香鬓影的各种明星，

可以出现各种各样装潢华丽的高级会所、高档沙龙，但象林徽因、梁思成所代表的那一代知识分子群体的独特人格气质已无从复制。

"生如夏花之绚烂，死如秋叶之静美。"任何一个时代、任何一个人都有自己对自由、对美与爱的追求，都有一个星空般绚烂的梦想，遥遥悬挂在空中。

我们也许永远不能抵达这个梦想，但总是能给以遥遥的注目，总有一份守望的信念。

"人间四月芳菲尽，山寺桃花始盛开。"风华绝代的林徽因已经远去了。但相信那山间桃花团团簇簇、灿灿灼灼，将会开放得迢递不止，无穷无尽。

1904 年 1 岁

6 月 10 日，林徽因生于浙江杭州陆官巷住宅。

原籍福建闽侯，祖父林孝恂，光绪己丑科（1889 年）进士，初为政知县候选，历任浙江海宁、石门、仁和各州县，他资助青年赴日留学的学生，多参加孙中山领导的革命运动。祖母游氏，生有子女七人。

徽因父林长民（1876 年生），字宗孟，为孝恂长子，1906 年赴日留学，不久回国，在杭州东文学校毕业，后再度赴日早稻田大学，习政治法律；叔林天民（1887 年生），字希实，早年亦留学日本，习电气工程；大姑林泽民，嫁王永昕；二姑生一女后去世；三姑林嫄民，嫁卓定谋；四姑林丘民，嫁曾仙舟；五姑林子民，嫁李石珊。

徽因之堂叔林觉民、林尹民均为黄花冈革命烈士。

1909 年 5 岁

　　是年，迁居蔡官巷一宅院，林徽因随祖父母、姑母等居此，由大姑母林泽民发蒙读书。

1910 年 6 岁

　　是年，林长民毕业于早稻田大学，善诗文、工书法，回国后与同学刘崇佑创办福州私立法政学堂，并任校长。

1911 年 7 岁

　　是年，祖母游氏因心脏病逝世于杭州。
　　是年，武昌起义后，林长民赴上海、南京、北京等地宣传辛亥革命。

1912 年 8 岁

1月1日，南京临时政府成立，林长民为福建代表，任参议院秘书长。并与汤化龙等人在上海发起组织"共和建设讨论会"

4月13日，正式成立"共和建设讨论会"，拥在日的梁启超为领袖，电其归国。

10月27日，将"共和建设讨论会"、国民协会等团体合并，林长民参与组织民主党。

是年，林长民住北京，全家由杭州移居上海，住虹口区金益里，徽因与表姐妹们入附近爱国小学，读二年级，并侍奉祖父。

1913 年 9 岁

是年，林长民被选为众议院议员，任秘书长。母亲何雪媛（1882 年—1972 年，林长民第二夫人，浙江嘉兴人）带妹妹麟趾（后夭折）去北平，住前王公厂旧居，徽因留沪。

是年，林长民与第三夫人程桂林（上海人）成婚，一说 1912 年。

1914 年 10 岁

是年，林长民任北京政府国务院参事，全家迁居北京。

祖父林孝恂因胆石症病逝。

是年，二娘程桂林生妹燕玉。

1915 年 11 岁

是年，二娘程桂林生弟桓（现在美国俄亥俄美术学院任院长）。

1916 年 12 岁

4 月，袁世凯称帝后，全家迁居天津英租界红道路，林长民仍留北京。

5 月，林长民去津，又同二娘程桂林回京。

秋，举家由津返京。

9 月，在梁启超支持下，林长民参加并组织"宪法研究会。"

是年，林徽因与表姐们同人英国教会办的培华女子中学读书。

是年，二娘程桂林生弟恒。

1917 年 13 岁

张勋复辟，全家迁居天津，惟徽因留京。后徽因同叔叔林天民至津寓自来水路，诸姑偕诸姊继至。林长民由宁归，独自回京。

7 月 17 日，因支持段棋瑞讨伐张勋复辟，林长民被任命为司法总长 8 月，举家由津返京。

11 月 15 日，"安福系"崛起，林不再受重视，辞司法总长之职。

1918 年 14 岁

3 月 24 日，林长民与汤化龙、蓝公武赴日游历。家仍居北京南长街织女桥，徽因自信能编字画目录，及父归，阅之以为不适用，颇暗惭。但徽因料理家事，屡得其父褒奖。

是年，认识梁启超之子梁思成。

是年，成立国际联合协会中国分会，林长民是发起人之一，任协会总干事，为国联事务常住欧伦。

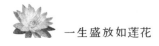

1919 年 15 岁

是年，林长民任巴黎和会观察员，著书立说，抨击亲日派，反对日本承认德国在华权益。

是年，二娘程桂林生弟暄。

1920 年 16 岁

春，林长民赴英讲学，林徽因亦随父去读中学。

3 月，林长民赴瑞开国联会，由法去英，居阿门二十七号。

7 月，林徽因随父到巴黎、日内瓦、罗马、法兰克福、柏林等地旅行，9 月回伦敦，以优异成绩考入 St.Mary' sCollege（圣玛莉学院）学习。

9 月 24 日，徐志摩由美到英。

10 月上旬，与在伦敦经济学院上学的徐志摩初次相遇。

1921 年 17 岁

是年，徐志摩与林徽因有论婚嫁之意。林谓必先与夫人张幼仪离婚始可。

8月，徽因随柏烈特全家赴英南海边避暑。林长民独居伦敦。

9月14日，租屋期满，因归期延至10月14日，徽因借住柏烈特家，林长民住他处。

10月14日，徽因随父由英赴法，乘"波罗加"船归国。

11、12月间，林长民、林徽因抵上海，梁启超派人接林徽因回北京，仍进培华女中读书，林长民暂居上海。

1922年18岁

在培华女中读书。

3月，徐志摩赴柏林，经金岳霖、吴经熊作证，与张幼仪离婚。

春，林徽因、梁思成婚事"已有成言"，但未定聘。

9月，徐志摩乘船回国，10月15日抵达上海，不久北上来京，林、徐暂告不欢。

是年，二娘程桂林生弟垣。

1923年19岁

在培华女中读书。

春，新月社在西单石虎胡同七号成立，林长民、林徽因等参加并祝贺。

5月7日，梁思成带梁思永骑摩托车去追赶"国耻日"游行队伍，至南长街口被一大轿车将左腿撞断，住协和医院。彼时林徽因到医院探望。7月出院后，终身留下残疾。

是年，林长民任宪法起草委员会委员，曹锟贿选总统时，他在沪参与反直运动。

是年，林徽因经常与表姐王孟瑜，曾语儿参加新月社俱乐部文学、游艺活动。

是年，林徽因毕业于培华女中，并考取半官费留学。

1924年20岁

4月23日，印度诗哲泰戈尔来华访问，在日坛草坪讲演，林徽因搀扶上台，徐志摩担任翻译。文载："林小姐人艳如花，和老诗人挟臂而行，加上长袍白面，郊荒岛瘦的徐志摩，犹如苍松竹梅的一幅三友图。"一时成为京城美谈。5月8日，为庆祝泰戈尔先生六十四诞辰，林徽因、徐志摩等在东单三条协和小礼堂演出泰翁诗剧《齐德拉》，林徽因饰公主齐德拉，徐志摩饰爱神玛达那。演出前，林徽因饰一古装少女恋望"新月"，以示新月社组织的这场演出活动。

泰戈尔在京期间，由林徽因、徐志摩等陪同，前往拜会了溥仪、颜惠庆。

6 月，林徽因、梁思成、梁思永同往美国留学，7 月 7 日抵达绮色佳康奈尔大学。林选户外写生和高等代数；梁选水彩静物画、户外写生和三角。

9 月，结束康校暑期课程，林、梁同往宾夕法尼亚大学就读。

同月，梁思成母亲李惠仙病故。

是年，"有几个月（林徽因、梁思成）在刀山剑树上过活。比城隍庙十五殿里画出来还可怕。思成后来忏悔了。"

1925 年 21 岁

在宾大学习。

1 月 18 日，林徽因与闻一多等在美参加"中华戏剧改进社"。

11 月 22 日，郭松龄在滦州倒戈反奉，通电张作霖，林长民受邀为"东北国民车"政务处长。

12 月 24 日，郭部兵败，林长民被流弹击中，死于沈阳西南新民屯，年 49 岁。

1927 年 23 岁

9 月，林徽因结束宾大学业，得学士学位，后转耶鲁大学戏剧学院，在 G.P. 贝克教授工作室学习舞台美术半年。

12 月 18 日，梁启超在北京为梁思成、林徽因的婚事"行文定礼"。

1928 年 24 岁

3 月，结束舞美学业。

3 月 21 日，林徽因与梁思成在加拿大温哥华姐姐家结婚。之后按照其父梁启超的安排，赴欧洲参观古建筑，于 8 月 18 日回京。

9 月，梁思成、林徽因受聘于东北大学建筑系，分别为主任、教授。林徽因回福州探亲，受到父亲林长民创办的私立法政专科学校同人欢迎和宴请。

11 月，梁启超病重住院，梁思成、林徽因赶赴北京。

1929 年 25 岁

1 月 19 日，梁启超病故，梁思成、林徽因为其父设计墓碑。

8月，林徽因从东北回到北平，在协和医院生下其女儿，取名再冰，意为纪念已故祖父梁启超"饮冰室"书房雅号。

是年，张学良以奖金征东北大学校徽图案，林徽因设计的"白山黑水"图案中奖。

1930年 26岁

秋，徐志摩到沈阳，劝林徽因回北平治病。

12月，林徽因肺病日趋严重，协和医院大夫建议到山上静养。

1931年 27岁

3月，林徽因到香山双清别墅养病。先后发表诗《那一晚》、《谁爱这不息的变幻》、《仍然》、《激昂》、《一首桃花》、《山中一个夏夜》、《笑》、《深夜里听到乐声》、《情愿》及短篇小说《窘》。

9月，梁思成、林徽因应朱启钤聘请，离开东大，到中国营造学社供职。梁任法式部主任，林为"校理"。

秋，林徽因病愈下山。

11 月 19 日，林徽因在协和小礼堂为驻华使节讲中国古代建筑。

同日，徐志摩为听林徽因学术报告，乘机遇雨触济南党家庄开山身亡。

11 月 22 日，林徽因、梁思成得悉徐志摩坠亡，即以铁树、白花编制小花圈，梁思成随与金岳霖、张奚若赶到徐遇难处处理后事。

同月，由林徽因等主持，在北平为徐志摩举行追悼活动。

12 月 7 日，发表散文《悼志摩》。

1932 年 28 岁

元旦、正月初一，分别两次致胡适信。

6 月中旬，林徽因再次到香山养病。

夏，林徽因、梁思成去卧佛寺、八大处等地考察古建筑，并发表《平郊建筑杂录》。

7 月至 10 月，作诗《莲灯》、《别丢掉》、《雨后天》。

8 月，子从诫生。意为纪念宋代建筑学家李诫。

是年，在一次聚餐时林徽因结识美籍学人费正清、费慰梅夫妇。

1933 年 29 岁

是年，林徽因参加朱光潜、梁宗岱举办的文化沙龙，每月集会一次，朗诵中外诗歌和散文。

秋，林徽因与闻一多、余上沅、杨振声、叶公超等筹备并创办了《学文》月刊。

9月，林徽因同梁思成、刘敦桢、莫宗江去山西大同考察云冈石窟。

10月7日，发表散文《闲谈关于古代建筑的一点消息》。

11月，林徽因同梁思成、莫宗江去河北正定考察古建筑。

11月18日，发表诗《秋天，这秋天》。

同月，林徽因请萧乾、沈从文到北总布胡同谈《蚕》的创作。

12月，作诗《忆》。

1934年 30岁

1月，中国营造学社出版梁思成的《清式营造则例》一书，林徽因为该书写了《绪论》。

2月、5月，发表诗《年关》、《你是人间四月天》，小说《九十九度中》。

年初，为叶公超主编的《学文》月刊一卷二期设计了富有建筑美的封面。

夏，林徽因、梁思成同费正清夫妇、汉莫去山西汾阳、洪洞等地考察古

建筑。

9 月 5 日，发表散文《窗子以外》。

10 月，林徽因、梁思成应浙江建设厅邀请，到杭州商讨六和塔重修计划，之后又去浙南武义宣平镇和金华天宁寺做古建筑考察。

1935 年 31 岁

3 月，林徽因与梁思成合著《晋汾古建筑预查纪略》一文。

6 月，发表诗《吊玮德》，短篇小说《模影零篇：一、钟绿，二、吉公》。

10 月，作诗《灵感》、《城楼上》。

11 月 19 日，发表散文《纪念志摩去世四周年》。冬，林徽因经常与费氏夫妇到郊外练习骑马。

1936 年 32 岁

1 至 11 月，发表诗《深笑》、《静院》、《风筝》、《记忆》、《无题》、《题剔空菩提叶》、《黄昏过泰山》、《昼梦》、《八月的忧愁》、《冥思》、《空想外四章：你来了、"九一八"闲走、藤花前、旅途中》、《过杨柳》、《静坐》；散文《蛛丝和梅花》、《究竟怎么一回事》；短篇小说《模影零篇：三、文珍》。

5 月 28 日，林徽因、梁思成等去河南洛阳龙门石窟、开封及山东历城、章邱、泰安、济宁等处作古建筑考察。

9 月，担任《大公报》文艺作品征文评委。

10 月，在《平津文化界对时局的宣言》中，向国民党当局提出抗日救亡八项要求，林徽因为文艺界发起人之一，并在宣言上签名。

是年，选编《大公报文艺丛刊小说选》并为之作序。

1937 年 33 岁

1 至 7 月，发表诗《红叶里的信念》、《十月独行》、《时间》、《古城春景》、《前后》、《去春》；话剧《梅真同他们》；短篇小说《模影零篇：四、绣绣》。

是年，任朱光潜主编的《文学杂志》编委。

是年，林徽因、梁思成应顾祝同邀请，到西安做小雁塔的维修计划，同时还到西安、长安、临潼、户县、耀县等处作古建筑考察。

7 月，林徽因同梁思成、莫宗江、纪玉堂赴五台山考察古建筑，林徽因意外地发现榆次宋代的雨花宫及唐代佛光寺的建筑年代。

7 月 12 日，林徽因一行到代县，得知发生“卢沟桥事变”，于是匆匆返回北平。

8月，林徽因一家从天津乘船去烟台，又从济南乘火车经徐州、郑州、武汉南下，9月中旬抵长沙。

11月下旬，日机轰炸长沙，林徽因一家险些丧生。不久，他们离开长沙，经常德、晃县、贵阳、镇宁、普安、曲靖到昆明。

1938年34岁

1月，林徽因一家住昆明翠湖前市长巡律街住宅，不久，莫宗江，陈明达、刘志平、刘敦桢也到昆明，经与中美庚款基金会联系，组建营造学社西南小分队。

是年，作诗《昆明即景：一、茶铺，二、小楼》。

1939年35岁

年初，因日机轰炸，林徽因一家搬至郊区龙泉镇麦地村。

2月5日，发表散文《彼此》。

6月28日，发表诗《除夕看花》。

冬，梁思成、刘敦桢等去云南、四川、陕西、西康等地作古建筑考察，林徽因为云南大学设计女生宿舍。

1940 年 36 岁

初冬，营造学社随史语所入川，林徽因一家亦迁四川南溪县李庄镇上坝村。
不久，林徽因肺病复发，从此抱病卧床四年。

1941 年 37 岁

在李庄镇。

春，三弟林恒在对日作战中身亡。

1942 年 38 岁

在李庄镇。

春，作诗《一天》。

是年，梁思成接受国立编译馆委托，编写《中国建筑史》，林徽因为写作

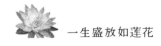

《中国建筑史》抱病阅读二十四史，作资料准备。她写了该书的第七章，五代、宋、辽、金部分，并承担了全部书稿的校阅和补充工作。

11 月 4 日，费正清、陶孟和从重庆溯江而上，去李庄访问林徽因、梁思成。

1944 年 40 岁

在李庄镇。

是年，作诗《十一月的小村》、《忧郁》、《哭三弟恒》。

是年，费慰梅到李庄访问林徽因。

1945 年 41 岁

在李庄镇。

8 月，日本侵略者宣布无条件投降。

是年，梁思成陪林徽因到重庆检查身体，大夫告诉思成，徽因将不久于人世。

1946 年 42 岁

2 月，林徽因在费慰梅陪同下乘机去昆明拜会西南联大校长梅贻琦，建议清华大学增设建筑系，住唐继尧后山祖居一座花园别墅，与张莫若、钱端升、金岳霖等旧友重聚。

7 月 31 日，同西南联大教工由重庆乘机返回北平。为清华大学设计胜因院教师住宅。

10 月，梁思成应聘赴美耶鲁大学作访问教授。

11 月 24 日，发表散文《一片阳光》。

是年，作诗《对残枝》、《对北门街园子》。

1947 年 43 岁

夏，饱经欧战浸染的萧乾，由上海来清华园探望林徽因，二人长谈七年来各自的经历。

是年，作诗《给秋天》、《人生》、《展缓》、《病中杂诗。小诗（一）、小诗（二）、写给我的大姊、恶劣的心绪》。

12 月，做肾切除手术。

1948 年 44 岁

2 月 18 日，作诗《我们的雄鸡》。

2 至 5 月，发表诗《空虚的薄暮》、《昆明即景》、《年青的歌》、《病中杂诗九首》、《哭三弟恒》。

11 月，国民党当局迫使北平高校南迁。清华园展开反迁校斗争，林徽因说："我们不做中国的'白俄'。"

是年，大军攻城前夕，张奚若带两名解放军到林徽因家，请梁、林划出保护古建筑目标，为此深感新政权对他们的信任。

是年，叔林天民故。

1949 年 45 岁

北平解放，林徽因被聘为清华大学建筑系一级教授。

2 月，为百万大军挥师南下，与梁思成等编印《全国重要文物建筑简目》。

春，送女儿再冰参加南下工作团。

7 月，政协筹委会决定把国徽设计任务交给清华大学和中央美院。清华大学由林徽因、李宗津、莫宗江、朱畅中等七人参加设计工作。

1950 年 46 岁

6 月，经过三个多月的努力，清华大学和中央美院设计的国徽图案完成并在中南海怀仁堂评选，经周总理广泛征求意见，清华小组设计图案以布局严谨、构图庄重而中选。

6 月 23 日，林徽因被特邀参加全国政协一届二次会议。

9 月 30 日，中央人民政府主席毛泽东发布国徽图案命令。

是年，林徽因被任命为北京市都市计划委员会委员兼工程师，提出修建"城墙公园"设想。

是年，妹燕玉故。

1951 年 47 岁

是年，为挽救濒于停业的景泰蓝传统工艺，抱病与高庄、莫宗江、常莎娜、钱美华、孙君莲深入工厂做调查研究，并设计了一批具有民族风格的新颖图案，为"亚洲及太平洋区域和平会议"、"苏联文化代表团"献上一批礼品，深受与会人员欢迎。

1952 年 48 岁

是年，梁思成、刘开渠主持设计人民英雄纪念碑，林徽因被任命为人民英雄纪念碑建筑委员会委员，抱病参加设计工作，与助手关肇邺一起，经过认真推敲，反复研究，终于完成了须弥座的图案设计。

5 月，为迎接即将到来的建设高潮，林徽因、梁思成翻译了《苏联卫国战争被毁地区之重建》一书，并由上海龙门书局印行，为国家建设提供了借鉴。

是年，应《新观察》杂志之约，撰写了《中山堂》、《北海公园》、《天坛》、《颐和园》、《雍和宫》、《故宫》等一组介绍我国古建筑的文章。

1953 年 49 岁

10 月，当选为建筑学会理事；并任《建筑学报》编委。

是年，被邀参加第二届全国文代会，江丰在美术家协会的报告上，对林徽因和清华小组挽救景泰蓝的成果，给予了充分肯定和高度评价。

1954 年 50 岁

6 月，林徽因当选为北京市人民代表大会代表。

秋，林徽因不抵郊外风寒，由清华园搬到城里去住。不久，因病情恶化住同仁医院。

1955 年 51 岁

4 月 1 日 6 时 20 分，病逝于同仁医院。

4 月 2 日，《北京日报》发表讣告，治丧委员会由张奚若、周培源、钱端升、钱伟长、金岳霖等 13 人组成。

4 月 3 日在金鱼胡同贤良寺举行追悼会，遗体安放在八宝山革命公墓。